Collection dirigée

Nouvelles policières

classiques Hatier

Le ruban moucheté
Conan Doyle

Faux frère
Léo Malet

Le fugitif
Boileau-Narcejac

Coup de gigot
Roald Dahl

Les poissons rouges
Didier Daeninckx

Un genre

Le récit policier

Dominique Fouquet,
certifiée de Lettres modernes

Paris 2003
ISBN 978-2-218-74342-9
ISSN 0184 0851

Sommaire

Introduction

Le récit policier

Le récit policier : un genre hétérogène

Le récit policier connaît, depuis son apparition, un réel succès populaire que l'époque contemporaine ne dément pas.
Mais qu'entend-on par récit policier ? Roman à énigme, roman à suspense, roman noir, polar, néo-polar, autant de termes dont on perçoit la parenté mais qui laissent perplexe quand on cherche à en saisir les nuances. Quel est le point commun entre toutes ces appellations ? crime ? enquête ? mort ? frissons ? Voilà, certes, les ingrédients nécessaires dans un « bon polar » mais ils ne sont pas suffisants pour expliquer les ressorts du genre. On pourra d'ailleurs constater que l'enquêteur n'est pas forcément la figure dominante, qu'il n'y a pas nécessairement énigme, que la reconstitution d'un crime n'est pas toujours la ligne directrice de l'histoire (*Coup de gigot*, p. 110). Le genre se présente donc de façon très hétérogène et on peut même le voir évoluer au fil des époques, d'une manière tout à fait intéressante et révélatrice.

Historique du genre

À quand remonte le récit policier ? Depuis toujours, crime, mystère et enquête font partie de l'existence humaine. Caïn, meurtrier de son frère, n'est-il pas le premier criminel de l'humanité ? Certaines histoires d'Hérodote ou certains passages de la Bible ne s'apparentent-ils pas au déroulement d'une enquête policière ? Et surtout, la filiation entre *Œdipe roi* et le roman policier n'est-elle pas tout à fait évidente ? Comment ne pas voir dans le héros de Sophocle une préfiguration des figures réunies du détective et de l'assassin ? Œdipe élucide une énigme (celle du Sphynx) et recherche ensuite le meurtrier du roi de Thèbes, ce qui l'entraîne sur les traces d'un coupable qui n'est autre que lui-même !
Cependant, le récit policier, en tant que genre nouveau, est né au XIXe siècle. Il voit le jour dans un siècle en proie à des bouleversements sociaux importants liés à la Révolution Industrielle. L'univers des villes

se transforme alors, se trouve associé à la misère, à la criminalité : le récit policier prend son essor, par le biais des feuilletons que la presse à grand tirage en pleine expansion diffuse ; il exprime les peurs nouvelles liées à l'existence de la pauvreté et au développement du crime. Les progrès de la science ouvrent parallèlement des voies nouvelles permettant des méthodes d'identification et de rationalisation et offrant ainsi un espoir pour combattre le Mal.
Ceci correspond à la naissance de ce que l'on a appelé, en Angleterre, le *detective novel*, « le roman de détection » dans lequel l'énigme à résoudre est le moteur de l'action. Dans ces récits à énigme, les enquêteurs occupent un rôle de premier plan et incarnent les valeurs du Bien et de la justice. Le roman de détection connaîtra son âge d'or entre les deux guerres, le meurtre en chambre close (train, île, appartement) sera alors un des motifs privilégiés des lecteurs friands d'énigmes complexes et insolites.
Des enquêteurs célèbres (Rouletabille, Hercule Poirot, Miss Marple, Nero Wolfe, le Père Brown...) succèderont au chevalier Dupin (d'Edgar Poe) et à l'incontournable Sherlock Holmes qui figure ici dans une de ses premières aventures (*Le ruban moucheté*, p. 8).
Dès 1920, cependant, naît aux États-Unis un genre nouveau en rupture avec le roman à énigme : le roman noir. La crise économique de 1929 et la Prohibition créent un climat de violence sociale. Le genre policier évolue alors vers des histoires et des formes d'écriture plus brutales, les histoires dénoncent la corruption et mettent en évidence la misère sociale. Le détective se montre parfois aussi violent que les gangsters qu'il pourchasse, c'est un *hard boiled*, un dur à cuire. L'énigme est reléguée au second plan, le récit coïncide avec l'action criminelle, la ville joue un rôle prépondérant.
Incarnés au cinéma (qui s'empare du genre) par l'acteur Humphrey Bogart, Sam Spade et Philip Marlowe, chapeau mou et imperméable fripé, seront les détectives les plus célèbres de cette époque.
Cette nouvelle vague du roman policier arrive bientôt en France : Léo Malet en est le précurseur. Il introduit, dès 1943, dans la littérature policière française le personnage du privé (Nestor Burma) et impose un nouveau style d'écriture qui mêle, de façon réussie, humour et argot (*Faux frère*, p. 61).

Mais le genre continue à se diversifier : il devient plus psychologique chez Simenon qui crée le commissaire Jules Maigret, plus centré sur le suspense chez Boileau et Narcejac qui se démarquent du roman à énigme et redéfinissent de nouvelles règles pour le récit policier (*Le fugitif*, p. 90).
Dans les années soixante-dix, nouveau tournant dans l'histoire du genre : autour de Jean-Pierre Manchette, un certain nombre d'auteurs dont Didier Daeninckx, Thierry Jonquet renouent avec l'esprit du roman noir et créent le néo-polar. L'ambiance de leurs récits est souvent violente et macabre : ils dénoncent la société contemporaine, les scandales politiques, affectionnent le monde des marginaux et des exclus. Leur terrain de prédilection est la ville et plus spécialement l'univers glauque des banlieues, il n'y a pas nécessairement d'enquête, mais la mort est présente sous une forme souvent dure, œuvre de psychopathes et de tueurs en séries effrayants (*Les poissons rouges*, p. 128).
Comme on le voit, le genre n'a cessé d'évoluer, montre une vitalité extraordinaire qu'il puise dans la substance même dont il se nourrit, la société, le monde dont il est le reflet, un monde en mutation qui livre des angoisses toujours nouvelles. Ne faut-il pas rappeler à ce propos, pour trouver une unité constitutive au genre, l'étymologie du mot « policier » ? Est « policier » ce qui ressort de la Cité (polis : cité), de l'organisation des hommes. Le récit policier ne serait-il pas le récit de la Cité, de la société, « celui qui porte en lui la part d'ombre de la civilisation citadine et qui met en scène cette part d'ombre » ?

Le lecteur de récit policier

Quel est donc le lecteur de récit policier ? Ils sont nombreux et amateurs de courants différents. Jean Cocteau disait :
« Je lis beaucoup de romans policiers. Je n'y cherche plus, hélas ! le lyrisme absurde de Fantômas, le charme naïf d'Arsène Lupin, la tendresse mélancolique de Rouletabille, mais j'y trouve autre chose, une force physique et un style moderne, une connaissance de l'âme, qui dépassent de loin ce que nos romanciers produisent. Je m'étonne, en face d'œuvres où une sorte de génie éclate dans l'allure générale et le détail, qu'on les mésestime sous prétexte qu'ils figurent dans des collections populaires… ».

Le lecteur de romans policiers (notamment dans le cas du récit à énigme) se distingue toutefois des autres lecteurs en ce sens que sa lecture est une lecture soupçonneuse.
« Le lecteur de roman policier est un lecteur incrédule, qui lit avec méfiance, avec une méfiance particulière » (Jorge Luis Borgès). En effet, un crime est commis. Qui a tué ? Pourquoi ? Comment ? L'histoire du crime étant cachée, il appartient au détective et au lecteur d'interpréter les éléments et de la reconstruire. La lecture d'un roman policier requiert la collaboration du lecteur, l'implique dans le décryptage des indices qui lui révéleront la vérité cachée. L'œuvre policière a ceci de particulier que, plus nettement qu'aucune autre, elle est une « œuvre préméditée ». L'auteur de roman policier dispose dans son texte un certain nombre d'indices à relier, à interpréter, met le lecteur en activité. Celui-ci entame donc une partie avec l'auteur au cours de laquelle il lui faut démêler le vrai du faux (fausses pistes, brouillages, masquages). Tout le plaisir de la lecture de récit policier repose sur ce jeu subtil et excitant, jamais gagné d'avance car, « Bon sang, mais c'est bien sûr ! », ce qui peut apparaître comme évident au moment de l'explication finale (ou de l'étude) n'est pas si facile à découvrir lors de la première lecture (voir l'énigme à résoudre par vous-même, *Crime Circus*, p. 82) !

Première partie

Le récit à énigme

Harry Dickson,
La Bande de l'Araignée.

Nouvelle 1

Le ruban moucheté

de Conan Doyle

Sir Conan Doyle vers 1912.

Arthur Conan Doyle est né en 1859 à Edimbourg (Écosse). Pendant ses études secondaires, il lit beaucoup et découvre Edgar Allan Poe et son enquêteur le Chevalier Dupin. Il étudie ensuite la médecine à l'université d'Edimbourg où il fut l'élève du célèbre professeur Bell. La méthode déductive de Bell pour formuler ses diagnostics (« Vous devez utiliser les yeux, les oreilles, les mains, le cerveau, l'intuition, et par-dessus tout votre capacité déductive. Vous devez déduire des différents éléments, reliés entre eux de façon adéquate, le mal qui afflige les patients. ») suggérera au futur écrivain la démarche de son détective, Sherlock Holmes. Celui-ci apparaît pour la première fois dans Une étude en rouge *(1887) mais il verra vraiment sa renommée s'établir à partir des années 1891 quand le journal* Strand Magazine *publie plusieurs nouvelles sous le titre* Les aventures de Sherlock Holmes.

Le ruban moucheté *(ou* La bande mouchetée *selon les traductions) fait partie de cet ensemble. Ce texte date de février 1892 : il présente Sherlock Holmes aux prises avec une énigme en chambre close ; l'histoire baigne dans une atmosphère fantastique qui lui confère une forte intensité dramatique. Afin que les diverses composantes du récit policier apparaissent clairement, la nouvelle a été découpée en quatre parties qui correspondent aux moments forts de l'action.*

Texte 1

Voici huit ans que j'étudie les méthodes de mon ami Sherlock Holmes. Quand je compulse les notes que j'ai prises, je ne compte pas moins de soixante-dix affaires sortant de l'ordinaire. Il y en a de tragiques, de comiques, de simplement
5 bizarres, mais aucune ne saurait prétendre à la banalité. La raison en est facile à comprendre : Holmes travaillait bien davantage pour l'amour de l'art que pour s'enrichir. Un tel désintéressement l'a donc incité à ne pas se mêler de cas vulgaires : il lui fallait l'inhabituel, et même le fantastique.
10 Il me semble que l'histoire la plus singulièrement fantastique est celle qui le mit en rapport avec la célèbre famille du Surrey[1], les Roylott de Stoke Moran. Les événements en question remontent aux débuts de notre association, lorsque nous partagions en garçons[2] le même appartement dans Baker Street.
15 Sans doute les aurais-je relatés plus tôt si je n'avais été tenu par ma parole d'honneur. Mais la dame qui me l'avait demandée est morte le mois dernier, et je me trouve délié de tout engagement. Au reste, il n'est pas mauvais que la vérité sur cette affaire soit enfin publiée ! J'ai en effet de bonnes
20 raisons de penser que le décès du docteur Grimesby Roylott a donné lieu à quantité de rumeurs dans le public ; la vérité est à peine moins horrible ; mais enfin elle l'est moins.

De très bonne heure, un matin d'avril 1883, je m'éveillai parce que Sherlock Holmes, tout habillé, s'approchait de mon
25 lit. Mon ami n'avait rien d'un « lève-tôt » ; comme le pendule marquait sept heures et quart, je lui décochai un regard où l'étonnement se mêlait à quelque ressentiment : j'étais moi-même un homme à habitudes régulières, et je n'aimais guère être dérangé à des heures indues.

1. Surrey : région de l'Angleterre au sud du bassin de Londres.
2. En garçons : en célibataires.

« Désolé de vous tirer du sommeil, Watson ! fit-il. Mais vous n'échapperez pas au sort commun : Hudson[3] a été réveillée ; elle m'a réveillé ; à mon tour je vous réveille.

– Qu'est-ce qui se passe ? Le feu ?

– Non, pas le feu ; une cliente. Il paraît qu'une jeune dame vient d'arriver, très excitée, et qui insiste pour me voir immédiatement. Elle m'attend dans le salon. Lorsque de jeunes dames se promènent en ville à une heure aussi matinale, et qu'elles tirent d'honnêtes gens de leurs lits, je crois qu'elles ont quelque chose d'urgent à communiquer. En admettant qu'il s'agisse d'une affaire intéressante, vous ne demanderiez pas mieux, je pense, que de la suivre dès le début. Voilà pourquoi je vous ai dérangé : pour vous donner une chance.

– Mon cher ami, je m'en voudrais de la rater ! »

Rien ne me plaisait plus que de coller à Holmes pendant ses enquêtes ; j'admirais la rapidité de sa logique : tellement prompte qu'elle rivalisait avec l'intuition ; elle déroulait toujours ses propositions en partant d'une base solide, grâce à quoi il débrouillait les problèmes les plus compliqués qui étaient soumis à sa sagacité d'analyste. En quelques minutes je fus habillé, et prêt à accompagner mon ami dans le salon. Une dame vêtue de noir et dont le visage était caché par une voilette épaisse se leva quand nous entrâmes.

« Bonjour, madame ! dit Holmes aimablement. Je m'appelle Sherlock Holmes, et voici mon confrère et ami le docteur Watson. Vous pouvez parler aussi librement devant lui que devant moi... Ah ! je suis content que Mme Hudson ait eu la bonne idée d'allumer le feu ! Asseyez-vous près de la cheminée. Je vais commander pour vous une tasse de café, car vous frissonnez.

3. Hudson : nom de la femme chargée des tâches ménagères dans l'appartement de Sherlock Holmes et de Watson.

60 – Ce n'est pas le froid qui me fait frissonner! répondit la dame d'une voix étouffée tout en changeant de siège comme on l'en avait priée.

– Quoi donc alors?

– La peur, monsieur Holmes. Je suis terrorisée!»

65 Elle releva sa voilette, et nous fûmes à même de constater qu'elle se trouvait énervée à un degré pitoyable: ses traits étaient tirés, sa peau grise; ses yeux agités trahissaient l'épouvante; on aurait dit un animal traqué. Elle semblait avoir une trentaine d'années, mais ses cheveux avaient prématuré-70 ment grisonné; elle donnait l'impression d'une femme épuisée, égarée. Sherlock Holmes lui dédia un regard aussi pénétrant que compréhensif.

« Vous ne devez plus avoir peur! dit-il doucement, en se penchant vers elle pour tapoter sur son bras. Nous allons 75 vite arranger cette affaire, j'en suis certain... Vous êtes arrivée par le train ce matin, n'est-ce pas?

– Vous me connaissez donc?

– Non, mais je remarque un billet de retour dans la paume de votre gant gauche. Et vous avez dû partir de bonne heure. 80 Et vous avez fait une longue course en cabriolet, sur de mauvaises routes, avant d'atteindre la gare.»

La dame sursauta, et considéra mon camarade avec ahurissement.

« Ne cherchez aucun mystère, chère madame! dit-il en 85 souriant. Sur la manche gauche de votre veste, il y a ces taches de boue, très fraîches. Le seul moyen de transport qui projette ainsi de la boue est un cabriolet; et je suis sûr que vous étiez assise à gauche du cocher.

– Vous avez raison, dit-elle. J'ai quitté la maison avant six 90 heures, je suis arrivée à Leatherhead vers six heures vingt, et j'ai pris le premier train pour Londres. Monsieur, je n'en peux plus: je deviendrai folle si ça continue! Je n'ai personne vers qui me tourner. Personne ! sauf quelqu'un, qui me témoigne de l'intérêt, mais qui ne peut guère me secourir, le pauvre ! J'ai entendu parler de vous, monsieur Sherlock Holmes. C'est Mme Farintosh qui m'a parlé de vous : vous l'avez aidée lorsqu'elle était en grand besoin de l'être. C'est elle qui m'a indiqué votre adresse. Oh ! monsieur ! ne croyez-vous pas que vous pourriez m'aider aussi ? Si seulement je pouvais voir un petit peu plus clair dans la nuit où je me débats ! Pour l'instant, il m'est impossible de vous offrir quoi que ce soit pour le service que vous me rendriez. Mais dans un mois ou deux je serai mariée, je pourrai disposer de mes revenus, et je vous jure que vous n'aurez pas obligé une ingrate ! »

Holmes alla vers son bureau, ouvrit un tiroir et sortit un fichier qu'il consulta.

« Farintosh ! dit-il. Ah ! oui ! Je retrouve l'affaire de ce nom-là : il s'agissait d'un diadème avec des opales[4]... C'était avant notre association, Watson. Je vous dirai simplement, madame, que je serai heureux de m'occuper de vous et que j'apporterai à votre cas autant de diligence qu'à celui de votre amie. Quant à mes honoraires, mon métier lui-même comporte toutes sortes de récompenses. S'il entre dans vos intentions de me défrayer des dépenses que je pourrais avoir à supporter, alors vous me réglerez quand cela vous sera le plus facile, voilà tout. Pour l'instant, je vous serais reconnaissant de bien vouloir exposer tous les faits qui pourraient m'aider à former une opinion sur votre affaire.

– Hélas ! répondit notre visiteuse. Ce qui fait l'horreur de ma situation est que mes craintes sont très imprécises, et que mes soupçons ne sont fondés que sur de tout petits détails qui, à quelqu'un d'autre, paraîtraient insignifiants. La personne, par exemple, dont je souhaiterais tirer de l'aide et un avis,

4. Opales : pierres précieuses.

de préférence à qui que ce soit au monde, prend mes récits
125 pour les lubies d'une femme trop nerveuse. Il ne me le dit pas
aussi nettement que cela, mais je le devine d'après le ton lénitif[5] de sa voix, ou d'après son regard qui fuit… On m'a affirmé,
monsieur Holmes, que vous étiez capable de voir loin dans
la méchanceté du cœur humain : en ce cas, vous pourriez me
130 guider parmi les dangers qui guettent chacun de mes pas.

– Je vous écoute très attentivement, madame.

(à suivre…)

Michael Caine et Ben Kingsley en 1998, dans *Élémentaire mon cher… Lock.*

5. Lénitif : apaisant.

Questions

Repérer et analyser

Le statut du narrateur

Identifier le statut du narrateur, c'est identifier qui raconte l'histoire et dire s'il est ou non personnage de l'histoire qu'il raconte.
Lorsque le narrateur mène le récit à la première personne, il est un personnage de l'histoire ; il peut aussi se présenter comme un simple témoin de l'histoire.
Lorsqu'il mène le récit à la troisième personne, il n'est pas personnage de l'histoire.

1 **a.** À quelle personne le narrateur s'exprime-t-il ?
b. Connaît-on son identité ? Justifiez votre réponse.
c. Quel est son niveau de langage ?

Le récit rétrospectif

Il arrive que le narrateur raconte une histoire qui lui est arrivé et dont il a été le témoin : il fait alors un récit qu'on appelle rétrospectif.

2 Quel est le temps dominant utilisé au début de la nouvelle ? À quel moment renvoie-t-il par rapport au narrateur ? Quelle est la valeur de ce temps ?
3 À partir de quelle ligne le récit commence-t-il ? Justifiez votre réponse. Appuyez-vous notamment sur les temps des verbes. À quel moment ces temps renvoient-ils ?

Le point de vue

Déterminer le point de vue, c'est préciser ce que le narrateur donne à connaître des personnages et des événements.
Le narrateur peut adopter :
– un point de vue omniscient : le narrateur apparaît comme connaissant tout des personnages et de la situation ;
– un point de vue interne : les informations sont perçues à travers un personnage ; le lecteur ne connaît alors que ce que ce personnage sait, voit et comprend ;
– un point de vue externe : le narrateur limite l'information à ce que pourrait voir un témoin extérieur, il feint d'ignorer ce que pensent les personnages.

4 **a.** Selon quel point de vue l'histoire est-elle racontée ? Selon quel point de vue le lecteur sera-t-il donc amené à suivre l'enquête ?
b. Quel peut être l'intérêt du choix de ce point de vue ?

5 **a.** Quelle image le narrateur donne-t-il de Sherlock Holmes dans les deux premiers paragraphes ? Quelle relation entretient-il avec lui ? Justifiez votre réponse en vous appuyant sur des expressions précises.
b. En quoi la présentation qui est faite de Sherlock Holmes oriente-t-elle la lecture de la nouvelle ? En quoi le début de cette nouvelle met-il le lecteur en condition de lire la suite ?
c. Quelle est donc la visée de ces deux premiers paragraphes ?

La mise en place de l'intrigue

Le récit policier peut commencer par présenter une situation initiale (présentation des lieux, des personnages…) avant d'introduire l'élément qui déclenchera l'action. Il peut commencer aussi au plein cœur de l'action, par la présentation de l'énigme (événements mystérieux).
Le cadre d'un récit policier est réaliste : les lieux, les personnages, les modes de vie sont inspirés de la réalité, de façon à ce que le lecteur ait l'illusion du vrai.

6 Dans quel lieu l'action débute-t-elle ? À quelle époque ? À quel moment de la journée ? Trouvez dans le texte des indices à l'appui de votre réponse.

7 Quel élément déclenche l'action ?

8 **a.** Relevez les termes qui caractérisent la visiteuse. Dans quel état d'esprit se trouve-t-elle ?
b. Quel est l'effet produit par cette apparition ?

Le personnage de Sherlock Holmes

Le récit policier met en scène des personnages qui occupent des fonctions caractéristiques : la victime, l'enquêteur, le suspect, le coupable.
Dans le récit à énigme, l'enquêteur a un rôle prépondérant : amateur ou professionnel, solitaire ou accompagné, il est celui qui résout l'énigme et arrête le coupable.
Sa méthode varie selon sa personnalité et le genre auquel il appartient : travail intellectuel de déduction, intuition, action…
Il incarne toujours des valeurs : dans la plupart des récits policiers traditionnels, il représente la justice, recherche la vérité, mais parfois (voir la nouvelle de Léo Malet, *Faux frère*, p. 61) il se montre plus critique par rapport à la société et à la morale.

Sa personnalité

9 Quels sont les traits de la personnalité de Sherlock Holmes qui se dégagent de ce passage ? Pour répondre, appuyez-vous notamment sur son comportement à l'égard de la visiteuse.

La méthode holmésienne

10 **a.** Relevez le passage dans lequel le narrateur définit la méthode de Sherlock Holmes.
b. Mettez en parallèle les faits observés et les déductions.

Faits observés	Faits déduits
« Je remarque un billet de retour dans la paume de votre gant gauche. »	
« Sur la manche gauche de votre veste, il y a ces taches de boue très fraîches. »	

La visée

11 **a.** Quelle est la visée de ces premières pages ?
b. Quelles questions le lecteur peut-il se poser ?

Se documenter

12 **a.** Lisez d'autres débuts de nouvelles écrites par Conan Doyle et mettant en scène Sherlock Holmes et Watson (*Les six napoléons, L'homme à la lèvre tordue, Le traité naval, L'association des hommes roux, Les cinq pépins d'orange*...).
b. Sous forme d'un tableau, dégagez les ressemblances et les différences : situation initiale (Qui ? Où ? Quand ?), mise en place de l'intrigue (Quoi ? Pourquoi ? Comment ?).

Écrire

Le début d'un récit policier

13 **a.** À la manière de Conan Doyle, écrivez le début d'un récit policier. Vous mettrez en place une situation qui appartient à la vie quotidienne puis vous introduirez un événement qui plongera le lecteur dans l'univers d'un récit policier : visite d'un personnage inconnu, réception d'une lettre mystérieuse, lecture d'un fait divers, cryptogramme...
b. Écrivez la première page d'un récit policier à partir d'une des phrases suivantes (au choix) :

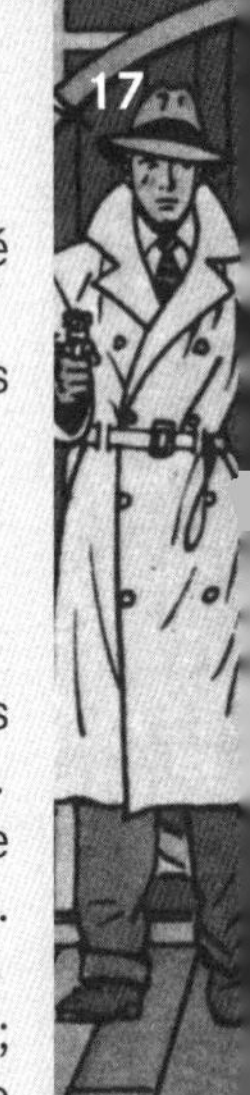

• « Comme tous les matins, l'homme trempait sa tartine dans son café au lait en regardant par la fenêtre de la cuisine… »
• « Dès l'intrusion du bonhomme dans l'autobus, j'ai su que les ennuis allaient commencer… »

Enquêter

14 **a.** Quels enquêteurs célèbres connaissez-vous ? Recherchez dans vos lectures, les films ou les séries télévisées que vous connaissez.
b. Établissez la carte d'identité de l'un d'entre eux puis présentez-le oralement à votre classe en le faisant parler à la première personne.
15 Avec la documentaliste de votre collège ou votre professeur :
– recherchez différentes éditions et collections de romans policiers ;
– identifiez les principaux logos (petits dessins symbolisant une marque) des collections policières. Que suggèrent-ils ? Quelle image du genre ces différents logos donnent-ils ?

Lire

Le modèle Watson/Holmes va inspirer d'autres couples d'enquêteurs. Citons ici le couple bien connu, formé par Hercule Poirot, le détective belge et son ami Hastings, créé par Agatha Christie et que vous pourrez retrouver dans de nombreuses nouvelles.
16 Lisez un roman d'A. Christie et présentez le début de l'intrigue à la classe (ex. : *Les plans du sous-marin*, *Les enquêtes d'Hercule Poirot*).

Lire et comparer

17 Lisez l'extrait de Zadig suivant puis comparez-le avec *Le ruban moucheté*. En quoi peut-il s'apparenter à un extrait de récit policier ?

Zadig est injustement accusé d'avoir volé la chienne de la reine et le cheval du roi. Face à ses juges, il prononce ce discours afin de se disculper.
« Étoiles de justice, abîmes de science, miroirs de vérité, qui avez la pesanteur du plomb, la dureté du fer, l'éclat du diamant et beaucoup

d'affinité avec l'or ! Puisqu'il m'est permis de parler devant cette auguste assemblée, je vous jure par Orosmade[1] que je n'ai jamais vu la chienne respectable de la reine, ni le cheval sacré du roi des rois. Voici ce qui m'est arrivé. Je me promenais vers le petit bois, où j'ai rencontré depuis le vénérable eunuque et le très illustre grand veneur. J'ai vu sur le sable les traces d'un animal, et j'ai jugé aisément que c'étaient celles d'un petit chien. Des sillons légers et longs, imprimés de petites éminences de sable, entre les traces des pattes, m'ont fait connaître que c'était une chienne dont les mamelles étaient pendantes, et qu'ainsi elle avait fait des petits il y a peu de jours. D'autres traces en un sens différent, qui paraissaient toujours avoir rasé la surface du sable à côté des pattes de devant, m'ont appris qu'elle avait les oreilles très longues ; et, comme j'ai remarqué que le sable était toujours moins creusé par une patte que par trois autres, j'ai compris que la chienne de notre auguste reine était un peu boiteuse, si je l'ose dire.

À l'égard du cheval du roi des rois, vous saurez que, me promenant dans les routes de ce bois, j'ai aperçu les marques des fers d'un cheval ; elles étaient toutes à égales distances. « Voilà, ai-je dit, un cheval qui a un galop parfait. » La poussière des arbres, dans une route étroite qui n'a que sept pieds de large, était un peu enlevée à droite et à gauche, à trois pieds et demi du milieu de la route. « Ce cheval, ai-je dit, a une queue de trois pieds et demi, qui, par ses mouvements de droite et de gauche, a balayé cette poussière. » J'ai vu sous les arbres, qui formaient un berceau de cinq pieds de haut, les feuilles des branches nouvellement tombées, et j'ai connu que ce cheval y avait touché, et qu'ainsi il avait cinq pieds de haut. Quant à son mors, il doit être d'or à vingt-trois carats : car il en a frotté les bossettes contre une pierre que j'ai reconnue être une pierre de touche[2] et dont j'ai fait l'essai. J'ai jugé enfin, par les marques que ses fers ont laissées sur des cailloux d'une autre espèce, qu'il était ferré d'argent à onze deniers de fin[3]. »

Voltaire, *Zadig*, coll. « Œuvres et thèmes », éd. Hatier.

1. Orosmade : ou Ormuzd, principe du bien dans la religion des anciens Perses, le mazdéisme.

2. Pierre de touche : pierre très dure utilisée en orfèvrerie pour reconnaître les métaux précieux.

3. De fin : de métal pur.

Texte 2

« – Je m'appelle Hélène Stoner, et je vis avec mon beau-père, qui est le dernier survivant de l'une des plus vieilles familles saxonnes de l'Angleterre, les Roylott de Stoke Moran, à l'ex-
135 trémité ouest du Surrey. »

Holmes hocha la tête :

« C'est un nom connu, dit-il.

– Autrefois, cette famille comptait parmi les plus riches de l'Angleterre ; son domaine s'étendait jusque dans le Berkshire
140 vers le nord et dans le Hampshire vers l'ouest. Au siècle dernier, cependant, quatre héritiers successifs dilapidèrent les biens, et la ruine de la famille fut consommée à l'époque de la régence par un joueur. Tout ce qui fut sauvé se résume à quelques hectares et à une maison, qui a deux cents ans et qui est écrasée
145 par une lourde hypothèque. Le dernier propriétaire y traîna une existence misérable : celle d'un aristocrate ruiné. Mais son fils unique, mon beau-père, comprit qu'il devait s'adapter à de nouvelles conditions de vie : il obtint un prêt de l'un de ses proches, réussit dans ses études de médecine et alla s'établir
150 à Calcutta ; à force de persévérance et grâce à ses qualités professionnelles, il se fit une importante clientèle. Toutefois, dans un accès de colère, et sous le prétexte que quelques vols avaient été commis dans sa maison, il battit à mort son major-dome, un indigène, et il échappa de peu à la peine capitale. Il
155 demeura de longues années en prison, puis il regagna l'Angleterre : ce n'était plus qu'un homme aigri, un raté.

« Pendant que le docteur Roylott était aux Indes, il avait épousé ma mère, Mme Stoner, jeune veuve du major-général Stoner, de l'artillerie du Bengale. Ma sœur Julie et moi étions
160 jumelles, et nous n'avions que deux ans lorsque notre mère se remaria. Elle jouissait d'une fortune considérable, ses revenus s'élevaient à près d'un millier de livres par an. Elle avait tout légué au docteur Roylott pendant que nous vivions avec lui,

sous la réserve d'une disposition aux termes de laquelle une
165 certaine somme devait nous être versée annuellement en prévision de notre mariage. Peu après notre retour en Angleterre, ma mère mourut : elle fut victime, voici huit ans, d'un accident de chemin de fer près de Crewe. Le docteur Roylott abandonna alors son idée de s'établir à Londres et il nous emmena
170 dans la maison de ses ancêtres à Stoke Moran. Ma mère nous avait laissé suffisamment d'argent pour nos besoins : tout semblait indiquer que les soucis nous épargneraient.

« Mais un terrible changement s'opéra bientôt en notre beau-père. Au lieu de nouer des relations d'amitié avec nos voisins,
175 qui s'étaient tous réjouis de revoir un Roylott de Stoke Moran dans la vieille maison, il s'enferma chez lui ; il ne sortit guère que pour se prendre de querelle avec quiconque paraissait devoir ne pas lui céder le pas. Dans les hommes de cette famille, la violence du tempérament poussée jusqu'à la manie était
180 héréditaire ; pour ce qui était de mon beau-père, une telle disposition n'avait pu que s'amplifier sous les tropiques. Une série de rixes[1] peu honorables se produisit : deux d'entre elles eurent leur épilogue devant le tribunal correctionnel. Il devint la terreur du village ; les gens s'enfuyaient à son approche, car
185 il est d'une force herculéenne et il ne se contrôle pas quand il est en colère.

« La semaine dernière il jeta le maréchal-ferrant par-dessus le parapet du pont dans la rivière ; j'ai dû donner tout l'argent dont je disposais pour éviter une nouvelle comparution en
190 justice. Ses seuls amis sont les Bohémiens : il les autorise à camper sur ses terres envahies par les ronces, et il accepte parfois l'hospitalité de leurs tentes, il va même jusqu'à faire route avec eux certaines fins de semaine. Il a aussi une passion pour les animaux des Indes ; un correspondant lui en envoie

1. Rixes : bagarres violentes dans les lieux publics.

195 régulièrement. En ce moment il a un guépard et un babouin en liberté dans son domaine : ces bêtes autant que leur maître terrorisent les villageois.

« Vous pouvez déduire de tout cela que ma pauvre sœur Julie et moi-même n'étions guère heureuses. Les domestiques ne 200 voulaient pas rester chez nous : pendant longtemps nous avons été obligées de faire tout le travail de la maison. Julie n'avait pas trente ans lorsqu'elle mourut, et cependant ses cheveux avaient commencé à blanchir, comme les miens sont en train de le faire.

205 – Votre sœur est morte, donc ?

– Oui. Il y a de cela juste deux ans. Et c'est de sa mort que je voudrais vous parler à présent. Vous comprenez que, menant l'existence que je vous ai dépeinte, nous ne voyions guère de gens de notre âge ou de notre rang. Pourtant nous avions 210 une tante, une sœur non mariée de ma mère, Mlle Honoria Westphail, qui habite près de Harrow, et nous obtenions de temps en temps la permission d'aller la voir. Il y a deux ans, pour Noël, Julie se rendit chez elle et elle fit la connaissance d'un major de la marine ; ils se fiancèrent. Quand ma sœur 215 rentra à la maison, elle apprit à notre beau-père ses fiançailles, et il n'éleva aucune objection. Mais quinze jours avant la date fixée pour les noces, un terrible événement me priva de ma seule amie. »

Sherlock Holmes s'était enfoncé dans son fauteuil et, la tête 220 posée sur un coussin, il avait fermé les yeux. Mais à ce point du récit, il entrouvrit les paupières et jeta un bref coup d'œil à notre visiteuse.

« Soyez bien précise dans les détails ! murmura-t-il.

– Oh ! cela ne me sera pas difficile ! Tout est resté gravé dans 225 ma mémoire... Je vous ai déjà dit que notre manoir était très vieux ; une seule aile est habitée. Dans cette aile, les chambres à coucher sont au rez-de-chaussée, car les salons se trouvent dans la partie centrale du bâtiment. La première de ces chambres à coucher est celle du docteur Roylott, la seconde était celle de ma sœur, la troisième la mienne. Entre elles, pas de communications directes, mais toutes trois donnent sur le même couloir. Suis-je assez claire ?

– Parfaitement claire.

– Les fenêtres de ces trois chambres ouvrent sur le jardin. Cette nuit-là, le docteur Roylott s'était retiré de bonne heure ; mais nous savions qu'il ne dormait pas, car ma sœur avait été incommodée par l'odeur des cigares de l'Inde, très forts, qu'il fumait habituellement, et elle avait quitté sa chambre pour passer dans la mienne : nous avions bavardé sur son proche mariage. Vers onze heures elle s'était levée pour partir, mais au moment d'ouvrir la porte elle s'était arrêtée et avait regardé derrière elle.

« – Dis, Hélène, tu n'as jamais entendu quelqu'un siffler quand il fait nuit noire ?

« – Jamais ! lui répondis-je.

« – Je suppose que, pendant ton sommeil, tu ne pourrais pas te mettre à siffler, n'est-ce pas ?

« – Certainement pas, Julie. Mais pourquoi ?

« – Parce que ces dernières nuits j'ai entendu, toujours vers les trois heures du matin, et distinctement, un sifflement à demi étouffé. J'ai le sommeil léger, et ce sifflement m'a réveillée. Je ne puis pas te dire d'où il provient : peut-être d'à côté, peut-être du jardin. Je me demandais si tu ne l'avais jamais entendu.

« – Non. Jamais. Ce doit être ces maudits romanichels[2] sous les arbres.

« – Vraisemblablement. Pourtant si cela venait du jardin, tu l'aurais bien entendu aussi.

« – J'ai le sommeil moins léger que toi !

2. Romanichels : bohémiens. Le mot a un sens péjoratif.

« – Oh ! peu importe après tout ! »

« Elle me sourit, sortit, referma ma porte, et je l'entendis verrouiller la porte de sa chambre.

– Vraiment ? interrogea Holmes. Aviez-vous l'habitude de vous enfermer ainsi la nuit ?

– Chaque nuit.

– Et pourquoi ?

– Je crois que je vous ai parlé du babouin et du guépard du docteur Roylott. Nous ne nous sentions en sécurité que lorsque nos verrous étaient mis.

– Parfait ! Poursuivez, je vous prie.

– Cette nuit-là je ne parvenais pas à m'endormir. Un pressentiment me troublait. Je vous rappelle que nous étions jumelles, ma sœur et moi, et vous savez combien sont forts et subtils ces liens que tresse la nature. C'était d'ailleurs une nuit affreuse : le vent hurlait, la pluie battait les vitres. Soudain, parmi tout le vacarme de la tempête jaillit le hurlement sauvage d'une femme dans l'épouvante. Je reconnus la voix de ma sœur. Je sautai à bas de mon lit, m'enveloppai d'un châle, et me précipitai dans le couloir. Au moment où j'ouvris ma porte, il me sembla entendre le sifflement étouffé que ma sœur m'avait décrit, puis une ou deux secondes plus tard, un son métallique comme si un lourd objet de métal était tombé. Tandis que je courais dans le couloir, la porte de ma sœur s'ouvrit, et tourna lentement sur ses gonds. Frappée d'horreur je regardai, je ne savais qui allait sortir. Puis la silhouette de Julie se profila dans la lumière de la lampe du couloir, sur le seuil : la terreur avait retiré tout le sang de son visage ; elle agita les mains pour appeler à l'aide ; sa tête se balançait comme si elle était ivre. Je m'élançai, glissai mes bras autour d'elle pour la soutenir, mais ses genoux se plièrent, et elle s'effondra par terre. Elle était secouée de convulsions comme quelqu'un qui souffre effroyablement, et son corps était arqué. D'abord je crus qu'elle ne m'avait pas reconnue, mais quand je me penchai sur elle, elle me cria d'une voix que je n'oublierai jamais : « Oh ! mon Dieu ! Hélène ! Le ruban ! Le ruban moucheté ! » Il y avait autre chose qu'elle aurait voulu me dire, et elle pointa du doigt vers la chambre du docteur Roylott ; à ce moment un nouveau spasme la saisit et lui retira le pouvoir de parler. Je me ruai vers la chambre de mon beau-père en l'appelant de toutes mes forces : il sortait hâtivement en enfilant sa robe de chambre. Quand il arriva auprès de ma sœur, elle avait perdu connaissance ; il desserra ses dents pour lui faire avaler un peu de cognac ; il eut beau envoyer chercher le médecin du village, elle sombra lentement dans le coma et elle mourut sans revenir à elle. Voilà comment je perdis ma sœur bien-aimée.

– Un instant ! dit Holmes. Êtes-vous sûre d'avoir entendu le sifflement et le bruit métallique ? Pourriez-vous le jurer ?

– Ce fut ce que me demanda le coroner[3] pendant l'enquête. J'ai vraiment l'impression d'avoir entendu cela ; toutefois, avec le déchaînement de la tempête et tous les craquements dans cette vieille maison, il se peut que je me sois trompée.

– Votre sœur était-elle habillée ?

– Non. Elle était en chemise de nuit. Dans sa main droite elle tenait un bout d'allumette consumée ; dans sa main gauche une boîte d'allumettes.

– Ce qui indique que quand quelque chose l'a alarmée, elle a allumé une allumette et a regardé autour d'elle. C'est important. Et quelles conclusions a tirées le coroner ?

– Il a mené l'enquête avec une grande minutie, car l'inconduite du docteur Roylott était depuis longtemps notoire dans le pays, mais il a été incapable de trouver une cause plausible du décès. Mon témoignage a indiqué que la porte avait été verrouillée de l'intérieur, que les fenêtres étaient protégées

3. Coroner : officier de police judiciaire dans les pays anglo-saxons.

par de vieilles persiennes pourvues de grosses barres de fer et fermées chaque nuit. Les murs ont été sondés avec soin : ils ont
325 paru d'une solidité à toute épreuve ; le plancher a été pareillement examiné, et sans résultat. La cheminée est large, mais elle est barrée par quatre gros crampons. Il est certain, par conséquent, que ma sœur était seule quand elle trouva la mort. Par ailleurs on ne décela sur son corps aucune trace de violence.

330 – Et a-t-il été question d'empoisonnement ?

– Les médecins y ont songé ; mais leur examen a été négatif.

– Selon vous, de quoi donc a pu mourir cette malheureuse jeune fille ?

– Je crois qu'elle est morte de frayeur, d'un choc nerveux.
335 Mais qu'est-ce qui l'a effrayée ? Voilà ce que je ne puis imaginer.

– Y avait-il des romanichels dans le domaine cette nuit-là ?

– Oui, il y en a toujours, ou presque toujours, dans le domaine.

– Ah ! Et comment interprétez-vous l'allusion au ruban
340 moucheté ?

– Tantôt je crois qu'elle délirait, tantôt je me demande si elle ne désignait pas les Bohémiens : peut-être les mouchoirs multicolores dont ils serrent leurs têtes lui avaient-ils suggéré cet étrange adjectif... »

345 Holmes secoua la tête : visiblement cette explication ne le satisfaisait pas.

« Nous nageons dans des eaux très profondes ! fit-il. Voulez-vous continuer votre récit ?

– Deux années s'écoulèrent ensuite, et jusqu'à ces tout
350 derniers temps ma vie n'avait jamais été plus solitaire. Il y a un mois, un ami très cher, que je connais depuis longtemps, m'a fait l'honneur de me demander ma main. Il s'appelle Armitage. Percy Armitage ; c'est le deuxième fils de M. Armitage, de Crane Water, près de Reading. Mon beau-père a donné
355 son accord à ce projet : nous devons nous marier dans le

courant du printemps. Avant-hier, quelques réparations ont été entreprises dans l'aile ouest du manoir, le mur de ma chambre a été percé, si bien que je me suis vue dans l'obligation de me transporter dans la pièce où mourut ma sœur, et
360 de dormir dans le lit qui fut le sien. Imaginez mon épouvante quand, la nuit dernière, ne dormant pas et méditant sur la terrible fin de Julie, j'entendis subitement dans le silence de la nuit le sifflement étouffé qui avait précédé sa mort. Je bondis du lit et allumai la lampe, mais en vain : je ne vis rien. J'avais
365 trop peur pour me remettre au lit ; aussi je m'habillai ; et dès que l'aube vint, je me glissai dehors, pris un cabriolet à l'auberge de la Couronne, juste en face de la maison, et j'ai roulé vers Leatherhead, d'où j'arrive, dans le seul but de vous voir et de vous demander conseil.

370 – Vous avez bien fait ! opina mon ami. Mais m'avez-vous tout dit ?

– Oui. Tout.

– Non, mademoiselle Stoner, vous ne m'avez pas tout dit. Vous couvrez votre beau père.

375 – Quoi ! Que voulez-vous dire ? »

Pour toute réponse, Holmes releva le petit volant de dentelle noire qui recouvrait le poignet de notre visiteuse. Cinq petites taches livides s'y étalaient : indubitablement les marques de quatre doigts et d'un pouce.

380 « Il vous traite bien cruellement ! » dit Holmes.

Hélène Stoner rougit et recouvrit son poignet :

« C'est un homme dur, murmura-t-elle. Il ne connaît pas sa force. »

Un long silence s'ensuivit ; Holmes, le menton appuyé sur
385 les mains, regardait brûler le feu.

« Voilà une affaire très complexe, dit-il enfin. Il y a des milliers de détails sur lesquels je voudrais bien être fixé avant de décider d'un plan d'action. Mais nous n'avons pas un

moment à perdre. Si nous nous rendions aujourd'hui à Stoke
390 Moran, pourrions-nous voir ces chambres sans que votre beau-
père le sache ?

– Justement il a parlé d'une course importante qu'il doit
faire aujourd'hui en ville. Il est vraisemblable qu'il sera absent
toute la journée et qu'il ne vous dérangera pas. Nous avons
395 une bonne à présent, mais c'est une vieille femme un peu folle;
je pourrai très bien la tenir à l'écart.

– Bien. Pas d'opposition à cette excursion, Watson ?

– Aucune opposition !

– Alors nous viendrons tous les deux. Que faites-vous main-
400 tenant ?

– Une ou deux emplettes; je vais en profiter puisque je suis
à Londres. Mais je serai de retour à temps pour vous accueillir:
je prendrai le train de midi.

– Nous arriverons au début de l'après-midi. Moi-même j'ai
405 une matinée occupée par quelques affaires. Vous ne voulez
pas que je vous fasse servir le petit déjeuner ?

– Non, merci ! Je me sens tellement plus légère depuis que
je vous ai confié ce que j'avais sur le cœur. Je veillerai à ce
que tout soit en ordre pour vous recevoir cet après-midi. »

410 Elle rajusta sa voilette noire et sortit.

« Qu'est-ce que vous pensez de tout cela, Watson ? demanda
Sherlock Holmes en se renfonçant dans son fauteuil.

– Il me semble qu'il s'agit d'une affaire sombre et sinistre,
non ?

415 – Assez sombre, et assez sinistre, oui !

– Toutefois si cette dame ne se trompe pas quand elle assure
que le plancher et les murs ont été sondés, et que la porte, la
fenêtre et la cheminée sont infranchissables, alors sa sœur était
certainement seule quand elle a trouvé cette mort mystérieuse.

420 – Que faites-vous, dans ce cas, des sifflements nocturnes et
des dernières paroles, très bizarres, de la mourante ?

– Rien. Je ne peux rien dire.

– Quand vous combinez les idées de sifflements pendant la nuit, de la présence d'une bande de romanichels très liés avec 425 ce vieux docteur, le fait que nous avons toutes raisons de penser que ledit docteur est intéressé à empêcher le mariage de sa belle-fille, l'allusion de la mourante à un ruban, et finalement le fait que Mlle Hélène Stoner a entendu un bruit métallique, lequel pourrait avoir été causé par la chute de l'une de 430 ces barres de fer qui protègent les persiennes et qui serait revenue à sa place, je crois qu'il y a de fortes chances pour que l'énigme tourne autour de ces bases.

– Mais qu'ont fait les Bohémiens, alors ?

– Je ne peux pas l'imaginer encore.

435 – Je vois poindre beaucoup d'objections contre une telle théorie…

– Moi aussi ! Et voilà pourquoi nous allons partir dès aujourd'hui pour Stoke Moran. Je veux m'assurer si ces objections ont un caractère inéluctable, ou si elles peuvent être 440 levées d'une façon quelconque. Mais qu'est-ce qui se passe, de par le diable ? »

(à suivre…)

Basil Rathbone dans *Sherlock Holmes*.

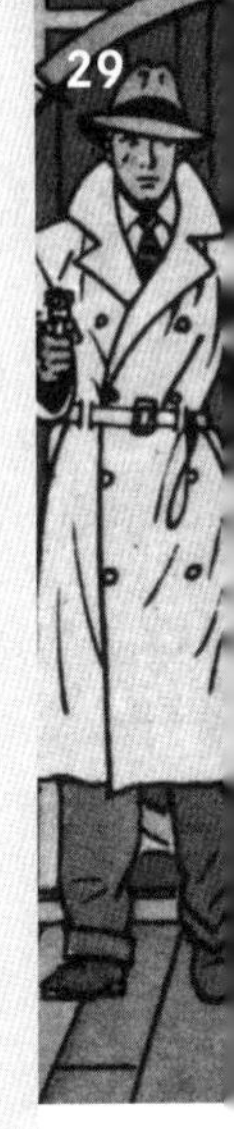

Repérer et analyser

Les paroles rapportées

Le narrateur peut choisir de faire parler les personnages directement (discours direct) ou de rapporter leurs paroles indirectement par des propositions subordonnées (discours indirect). Dans ce dernier cas, il peut alors résumer les paroles, en modifier la forme.
Les paroles rapportées directement peuvent permettre de caractériser un personnage mais aussi de ménager un intérêt dramatique.

1 **a.** Qui sont les personnages en présence ?
b. Qui parle le plus ? Pour quelle raison ?
c. Quelle est la fonction des paroles rapportées ?
2 **a.** Le narrateur intervient-il dans le dialogue ?
b. Quel est le rôle de Sherlock Holmes dans cette scène ?

L'ordre de la narration

La narration peut suivre l'ordre chronologique ou être bouleversé par des retours en arrière.
Dans le récit policier, ce procédé est fréquemment utilisé : il arrive en effet souvent que des personnages procèdent à des retours en arrière pour exposer une situation.

3 Situez sur un axe chronologique les événements suivants et essayez de les dater (aidez-vous de la date donnée p. 9).
- Décès de Mme Stoner mère
- Retour des Indes
- Changement de chambre pour Hélène
- Mariage de Mme Stoner et du Dr Roylott
- Mort de Julie
- Agression contre le maréchal-ferrant
- Fiançailles d'Hélène Stoner avec Percy Armitage
- Manifestation des sifflements
- Visite à Sherlock Holmes

4 Sur quelle durée ce retour en arrière s'étale-t-il ?

Les ingrédients du récit policier

L'énigme et les protagonistes

Le récit policier présente au lecteur une énigme à résoudre : l'énigme repose le plus souvent sur un méfait (crime, vol, enlèvement, agression...) qui a été commis dans des conditions mystérieuses et incompréhensibles.

5 Résumez en quelques phrases l'énigme présentée par Hélène Stoner. Que craint la jeune femme ?

6 **a.** Qui est la victime ?

b. Dans quelles circonstances est-elle morte (lieu, moment, conditions météorologiques...) ? Relevez des expressions (l. 273 à l. 304) qui montrent que la mort a été violente.

7 Les causes de son décès ont-elles été éclaircies ?

8 Quelles similitudes peut-on établir entre ce qui est arrivé aux deux sœurs ?

Les indices

Les indices se trouvent au centre du récit à énigme. On appelle indices toutes les traces laissées volontairement ou involontairement par le coupable. L'enquêteur (et le lecteur) en identifiant et en reliant les indices peut faire progresser l'enquête. Certains indices sont disposés dans l'histoire (et le récit) pour tromper l'enquêteur (et le lecteur) et l'écarter de la vérité : ils constituent alors ce que l'on appelle de fausses pistes.

9 Après une relecture attentive, dressez la liste de tous les indices fournis par Hélène à propos de sa mère, de son beau-père, d'elle-même, des lieux.

10 Quelle impression se dégage du personnage du beau-père ? En quoi constitue-t-il le suspect idéal ?

Les hypothèses de lecture et la visée

11 Quelle interprétation a été donnée à l'expression « ruban moucheté » ?

12 Sur la base des indices que vous avez relevés, élaborez plusieurs hypothèses pour résoudre l'énigme.

13 Quelle est la visée de ce passage ? Appuyez-vous sur l'ensemble de vos réponses.

Écrire

L'invention d'une énigme

14 Sous forme de devinette ou de message codé, rédigez par petits groupes une énigme et transmettez-la au restant de la classe qui devra l'élucider. Cette énigme pourra constituer le point de départ d'une nouvelle policière.

Les différents points de vue

Lors d'une représentation théâtrale, un acteur s'effondre sur scène, victime d'un coup de pistolet qui le blesse sérieusement.

15 Racontez la scène du point de vue de la victime, d'un spectateur et du coupable (on peut imaginer que celui-ci tienne un journal intime). Votre récit rendra compte des circonstances de la scène, fera varier les sentiments éprouvés par chacun des personnages.

Enquêter

16 Faites une recherche sur le personnage d'Œdipe.
Quelles énigmes a-t-il résolu successivement ? En quoi peut-il être considéré comme un héros de récit policier ?

Texte 3

Cette exclamation avait été arrachée à mon camarade qui avait vu sa porte s'ouvrir brutalement et un géant apparaître sur le seuil. Il était habillé d'une curieuse manière : à la fois 445 comme un notaire et comme un paysan ; il était coiffé d'un haut-de-forme noir, et portait une longue redingote, des guêtres hautes, et il balançait entre ses doigts un stick[1] de chasse. Il était si grand que son chapeau essuyait le cadre supérieur de la porte que sa corpulence bouchait complètement. Un visage 450 gras, barré de mille rides, brûlé par le soleil, marqué par les pires passions, se tournait alternativement vers Holmes et vers moi ; il avait des yeux enfoncés, bilieux ; son nez décharné, haut et effilé, lui donnait l'air d'un vieil oiseau de proie.

« Lequel de vous est Holmes ? interrogea l'apparition.

455 – Moi, monsieur. J'attends que vous vous présentiez, répondit calmement mon camarade.

– Je suis le docteur Grimesby Roylott, de Stoke Moran.

– Vraiment, docteur ? dit Holmes avec un grand sang-froid. Prenez un siège, je vous prie.

460 – Pas de ça ! Ma belle-fille sort d'ici. Je l'ai suivie. Qu'est-ce qu'elle vous a dit ?

– Vous ne trouvez pas qu'il fait un peu trop froid pour cette époque de l'année ? demanda Holmes.

– Qu'est-ce qu'elle vous a dit ? hurla le vieillard.

465 – Mais on m'a affirmé que les crocus étaient pleins de promesses ! poursuivit mon compagnon, impassible.

– Ah ! vous voulez vous débarrasser de moi ? grommela notre visiteur en marchant sur nous avec des moulinets de son stick. Je vous connais, espèce de coquin ! J'ai déjà entendu parler de 470 vous : Holmes le touche-à-tout, hein ? »

1. Stick : canne mince et souple.

Mon ami se borna à sourire.

« Holmes la mouche du coche[2] ? »

Son sourire s'élargit.

« Holmes le maître Jacques[3] de Scotland Yard... »

475 Holmes gloussa de joie :

« Votre conversation est passionnante, docteur ! dit-il. Mais quand vous sortirez, fermez donc la porte s'il vous plaît, à cause des courants d'air.

– Je partirai quand je voudrai ! N'ayez pas l'audace de vous 480 mêler de mes affaires ! Je sais que Mlle Stoner est venue ici... Je l'ai suivie ! Méfiez-vous : je suis dangereux quand on m'attaque ! »

Il bondit en avant, s'empara du tisonnier et le courba entre ses grosses mains marron.

485 « Veillez bien à vous tenir à l'écart de mon chemin ! » menaça-t-il.

Il rejeta dans la cheminée le malheureux tisonnier tordu, et quitta la pièce.

« Très homme du monde ! fit Holmes en riant. Je ne suis pas 490 tout à fait aussi massif, mais s'il était resté, je lui aurais volontiers démontré que je n'avais pas une poigne moins redoutable que la sienne. »

Tout en parlant, il avait rattrapé le tisonnier, et d'un seul coup, il le redressa.

495 « Comme si j'allais me laisser prendre à son insolence ! Peu importe qu'il me confonde, ou non, avec la police officielle : cet incident donne du piquant à notre enquête ! J'espère simplement que notre petite amie n'aura pas à se repentir de l'imprudence qu'elle a commise en n'empêchant pas cette brute

2. La mouche du coche : personne importune qui intervient dans les affaires d'autrui. Voir La Fontaine, *Le coche et la Mouche*.

3. Maître Jacques (du nom d'un personnage de *L'Avare* de Molière) : personne qui s'occupe un peu de tout, en particulier des tâches sans importance.

500 de la suivre. Maintenant, Watson, prenons notre petit déjeuner ! Après quoi j'irai dans un endroit où je compte avoir des informations utiles. »

Il était près d'une heure quand Sherlock Holmes rentra de sa promenade. Il tenait à la main une feuille de papier bleu,
505 barbouillée de notes et de dessins.

« J'ai vu le testament de la défunte épouse de Roylott, me dit-il. Pour déterminer sa signification exacte, j'ai dû calculer la valeur actuelle des divers placements. Le revenu de l'ensemble, qui à l'époque du décès de cette femme atteignait
510 presque onze cents livres, n'est plus aujourd'hui en raison de la chute des prix agricoles que légèrement supérieur à sept cent cinquante livres. Chaque fille, si elle se marie, peut revendiquer un revenu de deux cent cinquante livres. Il est évident que si les deux filles s'étaient mariées, leur beau-père n'au-
515 rait plus eu qu'une maigre pitance à se mettre sous la dent ! Et même le mariage d'une seule d'entre elles aurait été une source de gêne. Mon travail de ce matin n'a pas été inutile puisque j'ai acquis la preuve qu'il avait de bonnes raisons pour s'opposer à un mariage. Watson, ceci est trop grave pour que nous
520 lambinions ! Le vieillard sait que nous nous intéressons à ses affaires ; si vous êtes prêt, nous allons fréter un fiacre et nous faire conduire à la gare de Waterloo. Je vous serais reconnaissant de bien vouloir glisser votre revolver dans l'une de vos poches. Un Eley 2 est un argument sans réplique quand
525 on a affaire à des gentlemen qui font des nœuds avec mon tisonnier. Votre revolver et nos brosses à dents, je crois que ce sera assez. »

À Waterloo, nous eûmes la chance d'attraper un train pour Leatherhead ; là nous louâmes un cabriolet à l'auberge de la
530 gare et pendant six ou sept kilomètres, nous roulâmes dans la charmante campagne du Surrey. Il faisait magnifiquement

beau : un gai soleil, et seulement quelques nuages cotonneux dans le ciel. Sur les arbres et sur les haies qui bordaient notre route, les premiers bourgeons verdissaient ; la terre exhalait 535 une délicieuse odeur d'humidité. Moi au moins, je goûtais l'étrange contraste entre ces exquises promesses du printemps et la sinistre recherche où nous nous étions engagés. Mais mon ami avait baissé son chapeau sur ses yeux et posé son menton sur sa poitrine : il était plongé dans les réflexions les plus 540 profondes. Soudain il me tapa sur l'épaule et me désigna quelque chose dans la plaine :

« Regardez par là ! »

Un parc très fourni descendait le long d'une pente douce ; à son point le plus élevé les arbres constituaient un bosquet. Au 545 milieu des branches, nous aperçûmes les gris pignons et le toit d'une vieille maison.

« Stoke Moran ? demanda-t-il.

– Oui, monsieur. C'est la demeure du docteur Grimesby Roylott, répondit le cocher.

550 – C'est bien là qu'il y a un bâtiment en réparation, n'est-ce pas ? Vous nous y arrêterez.

– Voilà le village, dit le conducteur en indiquant un rassemblement de toits sur la gauche. Mais si vous voulez aller au manoir, vous feriez mieux de grimper le raidillon et de prendre 555 le raccourci à travers champs. Voyez-vous, une dame s'y promène.

– La dame, c'est, je suppose, Mlle Stoner ? dit Holmes. Oui, je crois que vous avez raison. »

Nous descendîmes, après avoir payé le prix de notre course, 560 et le cabriolet reprit la route de Leatherhead.

« C'est aussi bien, reprit Holmes tandis que nous gravissions le raidillon, que ce type s'imagine que nous sommes des architectes : la langue le démangera moins... Bon après-midi, mademoiselle Stoner ! Vous voyez que nous avons tenu parole. »

565 Notre cliente du matin avait couru au-devant de nous, et la joie illuminait son visage :

« Je vous attendais avec tant d'impatience ! cria-t-elle en nous serrant chaleureusement les mains. Tout est pour le mieux : le docteur Roylott est allé en ville ; il y a peu de chances pour 570 qu'il soit de retour avant ce soir tard.

– Nous avons eu le plaisir de faire sa connaissance », dit Holmes.

En quelques mots, il mit notre interlocutrice au courant des faits. Mlle Stoner blêmit.

575 « Mon Dieu ! s'écria-t-elle. Il m'a donc suivie ?

– Selon toute apparence, oui.

– Il est si rusé que je ne sais jamais s'il me surveille ou non. Que va-t-il me dire à son retour ?

– Il faudra qu'il commence à se méfier ! Car il pourrait bien 580 se trouver face à face avec quelqu'un de plus malin que lui. Ce soir vous vous enfermerez. S'il veut user de violence, nous vous conduirons chez votre tante à Harrow... Pour l'instant il s'agit d'utiliser au mieux le temps qui nous est imparti : voudriez-vous nous conduire dans les chambres ? »

585 Le bâtiment était en pierres grises, avec des murs parsemés de mousse ; la partie centrale était élevée, les deux ailes incurvées, comme des pinces de crabe étalées de chaque côté. Dans l'une des ailes les vitres étaient cassées, et des madriers[4] bloquaient les fenêtres ; le toit révélait une crevasse ; en somme, 590 c'était le château de la ruine.

La partie centrale avait été vaguement restaurée ; le bloc de droite faisait même presque neuf ; des stores aux fenêtres et la fumée bleuâtre qui s'échappait des cheminées indiquaient que la famille résidait là. Une sorte d'échafaudage avait été dressé 595 contre l'extrémité du mur, et il y avait bien un trou dans la

4. Madriers : pièces de bois très épaisses.

pierre, mais lors de notre inspection nous n'aperçûmes aucun ouvrier. Holmes marchait lentement dans le jardin mal entretenu, et il examina très attentivement l'extérieur des fenêtres.

« Celle-ci, je crois, est la fenêtre de la chambre où vous 600 dormiez habituellement; celle du centre est celle de la chambre de votre sœur; la dernière, près du bâtiment central, est celle de la chambre du docteur Roylott ?

– Oui. Mais je dors à présent dans la chambre du milieu.

– Tant que dureront les travaux, je suppose ? Au fait, ils ne 605 me paraissent pas bien urgents, ces travaux ?

– Aucune réparation n'était immédiatement nécessaire. Je crois qu'il s'agit là d'un prétexte pour m'obliger à changer de chambre.

– Ah ! ah ! Cette suggestion est à retenir...

610 Sur l'autre côté de cette aile s'étend le couloir sur lequel ouvrent les trois portes, n'est-ce pas ? Mais il y a aussi des fenêtres qui donnent sur le couloir ?

– Oui, mais elles sont très petites : trop étroites pour livrer le passage à quelqu'un.

615 – Donc, comme vous vous enfermiez toutes les deux la nuit, vos chambres étaient inabordables de ce côté-là. Je vous demanderai maintenant d'avoir la bonté de nous mener à votre chambre et de mettre les barres aux persiennes. »

Mlle Stoner s'exécuta. Holmes, après avoir soigneusement 620 regardé par la fenêtre ouverte, s'efforça d'ouvrir les persiennes de l'extérieur, mais il n'y parvint pas. Il ne découvrit aucune fente par où un couteau aurait pu se glisser pour soulever la barre. À l'aide de sa loupe, il examina les charnières ; elles étaient en fer solide, solidement encastrées dans la maçonnerie 625 massive.

« Hum ! fit-il en se grattant le menton avec perplexité. Ma théorie se heurte à quelques difficultés, quand ces persiennes sont fermées avec la barre, personne ne peut s'introduire par

la fenêtre… Bien : allons voir si l'intérieur apportera plus
630 d'atouts à notre jeu. »

Une petite porte latérale nous conduisit dans le couloir. Holmes refusa de s'intéresser à la troisième chambre, et nous pénétrâmes dans la deuxième, celle où couchait à présent Mlle Stoner et où sa sœur avait trouvé la mort. C'était une
635 pièce modeste, exiguë : le plafond était bas et la cheminée béante, comme dans beaucoup de vieilles maisons de campagne. Une commode claire occupait un coin ; un lit étroit avec une courtepointe blanche en occupait un autre ; à gauche de la fenêtre il y avait une table de toilette. Ces meubles, plus
640 deux petites chaises cannées et un tapis carré au centre, composaient le décor. Les poutres et les panneaux des murs étaient en chêne mangé aux vers ; ils paraissaient dater de la construction même de la maison. Holmes tira une chaise dans un coin, s'assit et silencieusement inspecta chaque détail de la pièce
645 pour les graver dans sa mémoire.

« Où sonne cette sonnette ? demanda-t-il en désignant un gros cordon à sonnette qui pendait à côté du lit, avec le gland posé sur l'oreiller.

– Dans la chambre de bonne.

650 – Elle a été récemment installée, on dirait…

– Oui ; elle l'a été voici trois ou quatre ans.

– C'est votre sœur qui l'avait réclamée ?

– Non. Je ne crois pas qu'elle s'en soit jamais servie. Nous avions pris l'habitude de nous débrouiller sans domestique.

655 – Vraiment, je ne vois pas la nécessité d'un aussi joli cordon de sonnette… Excusez-moi, mais je voudrais m'occuper du plancher. »

Il se mit à quatre pattes, le visage contre terre, ou plutôt collé à la loupe qu'il promenait sur le plancher. Il examina avec le
660 plus grand soin les interstices entre les lames. Il procéda ensuite à l'inspection des panneaux de bois sur les murs. Enfin il alla

vers le lit et le considéra pendant quelques minutes ; son regard grimpa et redescendit le long du mur. Brusquement il empoigna le cordon de sonnette et le tira.

665 « Tiens, c'est une fausse sonnette ! s'exclama-t-il.

– Elle ne sonne pas ?

– Non. Elle n'est même pas reliée à un fil. Très intéressant ! Regardez vous-même : le cordon est attaché à un crochet juste au-dessus de la petite ouverture de la bouche d'aération.

670 – C'est absurde ! Mais je ne l'avais pas remarqué !

– Très étrange ! marmonna Holmes, pendu au cordon de sonnette. Il y a un ou deux détails bien surprenants dans cette chambre ! Par exemple, il faut qu'un architecte soit fou pour ouvrir une bouche d'aération vers une autre pièce, alors qu'il 675 aurait pu, sans davantage de travail, l'ouvrir sur l'extérieur !

– Cela aussi est très récent, indiqua Mlle Stoner.

– Aménagé à la même époque que la sonnette ?

– Oui. Il y a eu diverses modifications légères apportées dans cette période-là.

680 – Curieuses, ces modifications ! Un cordon à sonnette qui ne sonne pas, un ventilateur qui ne ventile pas… Avec votre permission, mademoiselle Stoner, nous allons maintenant nous transporter dans l'autre chambre. »

La chambre du docteur Grimesby Roylott était plus grande 685 que celle de sa belle-fille, mais elle n'était guère mieux meublée. Un lit de camp, une petite étagère chargée de livres pour la plupart d'un caractère technique, un fauteuil près du lit, une chaise en bois plein contre le mur, une table ronde et un gros coffre en fer étaient les principales choses qui frappaient le 690 regard. Holmes fit le tour de la pièce en examinant chaque objet avec la plus grande attention.

« Qu'y a-t-il là-dedans ? demanda-t-il en posant sa main sur le coffre.

– Les papiers d'affaires de mon beau-père.

– Oh ! vous avez vu l'intérieur ?

– Une fois, il y a plusieurs années. Je me rappelle qu'il était plein de papiers.

– Il ne contient pas un chat, par hasard ?

– Un chat ? Non. Quelle idée…

– Parce que… Regardez ! »

Il montra un petit bol de lait qui était posé sur le coffre.

« Non, nous n'avons pas de chat. Mais il y a ici un guépard et un babouin.

– Ah ! oui, c'est vrai ! Après tout, un guépard ressemble à un gros chat ; mais un bol de lait ne lui suffirait guère, j'imagine ! Il y a un point que je voudrais bien éclaircir… »

Il s'accroupit devant la chaise de bois et en examina le siège de très près.

« Merci ! Voilà qui est réglé, dit-il en se relevant et en remettant sa loupe dans sa poche. Tiens ! quelque chose d'intéressant… »

L'objet qui avait capté son regard était une courte lanière pendue à un coin du lit. La lanière, cependant, était enroulée sur elle-même à une extrémité comme pour faire un nœud coulant.

« Qu'est-ce que vous en pensez, Watson ?

– C'est une laisse à chien assez banale. Mais je ne vois pas pourquoi ce nœud…

– Pas si banale que cela, n'est-ce pas ? Ah ! mon cher, le monde est bien méchant ! Et quand un homme intelligent voue au crime son intelligence, il devient le pire de tous !… Je crois que nous avons vu assez, mademoiselle Stoner. Si vous nous autorisez, nous ferons maintenant un tour de jardin. »

Jamais je n'avais vu sur mon ami une expression aussi farouche, ni aussi sombre, lorsque nous quittâmes le lieu de ses dernières investigations. Nous avions traversé à plusieurs reprises la pelouse, et ni mademoiselle Stoner ni moi n'avions osé interrompre le cours de ses méditations. Il sortit enfin de son silence :

730 « Il est absolument essentiel, mademoiselle Stoner, que vous suiviez à la lettre mes instructions.

– Je m'y conformerai certainement.

– L'affaire est trop grave pour nous permettre la moindre hésitation. Votre vie est en jeu : son sort dépend de la manière 735 dont vous vous conformerez à mes conseils.

– Je vous assure que je m'en remets absolument à vous !

– Première chose : mon ami et moi-même devons passer la nuit dans votre chambre. »

Nous dévisageâmes Sherlock Holmes tous les deux avec une 740 stupéfaction égale.

« Oui. Il le faut ! Laissez-moi vous expliquer. Je crois que l'auberge du village est par là ?

– Oui. L'auberge de la Couronne.

– Bien. Votre fenêtre est-elle visible de l'auberge ?

745 – Oui.

– Vous serez enfermée dans votre chambre quand votre beau-père rentrera : une migraine atroce ! Bon. Quand vous l'entendrez se coucher, vous ouvrirez les persiennes de votre fenêtre, vous déferez l'espagnolette[5], vous présenterez votre lampe ; 750 ce sera un signal pour nous. Puis vous vous retirerez avec tout ce que vous désirez emporter dans la chambre où vous dormez habituellement. Malgré les travaux, vous pourrez bien y passer une nuit, n'est-ce pas ?

– Bien sûr !

755 – Pour le reste, laissez-nous faire.

– Mais que ferez-vous ?

– Nous passerons la nuit dans votre chambre, et nous identifierons la cause de ce bruit qui vous a tant épouvantée.

5. Espagnolette : poignée tournante servant à ouvrir et à fermer une fenêtre.

– Je crois, monsieur Holmes, que vous avez déjà une idée,
760 dit Mlle Stoner en posant sa main sur la manche de mon ami.

– C'est en effet possible.

– Et… une idée précise ! Oh ! par pitié, dites-moi de quoi ma sœur est morte !

– Je préfère avoir des preuves formelles avant de vous le dire.

765 – Dites-moi au moins si j'ai eu raison de croire qu'elle est morte de peur !

– Non. Je ne crois pas que vous ayez raison. Je crois à une cause plus tangible. Mais pour l'instant, mademoiselle Stoner, il faut que nous nous quittions : si votre beau-père revient et
770 nous trouve ici, notre déplacement aura été inutile. Au revoir ! Et soyez courageuse, car si vous faites ce que je vous ai conseillé de faire, je vous promets que nous écarterons tous les dangers qui vous menacent ! »

Nous n'éprouvâmes aucune difficulté, Sherlock Holmes et
775 moi, à louer une chambre et un salon à l'auberge de la Couronne. Cet « appartement » était situé au premier étage ; si bien que de notre fenêtre nous avions vue sur la porte d'entrée et sur l'aile habitée du manoir de Stoke Moran. À la nuit tombante, nous aperçûmes le docteur Grimesby Roylott qui
780 franchissait le seuil de sa propriété ; sa haute silhouette semblait écraser celle du cocher qui le conduisait. Le cocher eut du mal à faire jouer les lourdes portes de fer, et nous entendîmes le rugissement du docteur : nous pûmes même le voir menacer de ses poings le malheureux conducteur. Puis la voiture se
785 remit en marche ; quelques instants plus tard une lumière brilla à travers les arbres : une lampe avait été allumée dans l'un des salons.

« Sérieusement, Watson ! me dit Holmes alors que nous étions en train de contempler la nuit. Savez-vous que j'ai
790 quelques remords à vous avoir emmené ce soir ? Il y a certainement du danger dans l'air !

– Est-ce que je pourrai vous aider ?

– Votre présence peut se révéler déterminante.

– Alors je vous suivrai.

– C'est très chic de votre part.

– Vous avez parlé de danger… Évidemment vous avez vu dans ces chambres bien plus que je n'y ai vu moi-même !

– Non. Ce qui est possible, c'est que j'ai poussé mes déductions plus loin que vous. Mais nous avons vu les mêmes choses vous et moi.

– Je n'ai rien vu de particulier, sauf ce cordon à sonnette dont l'installation répond à un but que je suis incapable de définir.

– Vous avez vu aussi la bouche d'aération ?

– Oui. Mais je ne vois pas ce qu'il y a d'extraordinaire à établir une sorte de communication entre deux pièces : le trou est si petit qu'un rat pourrait à peine s'y glisser.

– Je savais, avant d'arriver à Stoke Moran, que nous trouverions une bouche d'aération.

– Mon cher Holmes !…

– Oui, oui, je le savais ! Rappelez-vous que dans la déclaration de Mlle Stoner, il y avait ce trait que sa sœur était incommodée par l'odeur des cigares du docteur Roylott. D'où la nécessité absolue d'une communication quelconque entre les deux chambres. Communication qui ne pouvait être que petite : sinon, elle aurait été repérée lors de l'enquête menée par le coroner. J'avais conclu qu'il s'agissait d'une bouche d'aération.

– Soit. Mais quel mal voyez-vous à cela ?

– Tout de même il y a d'étranges coïncidences de dates. Voici une bouche d'aération qui est aménagée, un cordon qui pend, et une demoiselle, couchée dans son lit, qui meurt. Ça ne vous frappe pas ?

– Je ne vois pas le lien.

825 – Vous n'avez rien observé de particulier à propos du lit ?

– Non.

– Il est chevillé au plancher. Avez-vous déjà vu un lit attaché ainsi ?

– Je ne crois pas.

830 – La demoiselle ne pouvait pas remuer son lit, le déplacer. Il devait par conséquent être maintenu toujours dans la même position par rapport à la bouche d'aération et au cordon, ou plutôt à la corde, puisque cet objet n'a jamais servi à sonner une cloche ou actionner une sonnerie.

835 – Holmes ! m'écriai-je. Il me semble que je devine obscurément le sens de vos paroles. Mon Dieu ! Nous sommes arrivés à temps pour empêcher un crime aussi subtil qu'horrible.

– Oui, plutôt subtil et plutôt horrible ! Quand un médecin s'y met, Watson, il est le pire des criminels. Il possède du sang-840 froid, et une science incontestable. Palmer et Pritchard faisaient partie de l'élite de leur profession… Cet homme les dépasse, pourtant ! Mais je crois, Watson, que nous serons plus forts que lui. Je crois aussi que, d'ici le lever du jour, nous ne manquerons pas de sujets d'horreur. Au nom du Ciel, fumons 845 paisiblement une bonne pipe, et cherchons-nous pendant quelques moments des sujets de conversation plus agréables ! »

(à suivre)

Basil Rathbone dans *Sherlock Holmes*.

Repérer et analyser

Les personnages

Roylott et Holmes

1 Relevez les expressions qui caractérisent le physique du personnage de Roylott (l. 442 à 453, et l. 778 à 784).
En quoi l'attitude de ce personnage est-elle conforme à l'idée que le lecteur pouvait s'en faire ? Appuyez-vous notamment sur les verbes de parole et d'action.

2 Quelle est la réaction de Holmes face à celui-ci ? Pourquoi réagit-il ainsi selon vous ? En quoi les deux hommes contrastent-ils ?

Watson et Holmes

3 Repérez les deux dialogues entre les personnages.
Quelle est la fonction de ces dialogues (voir la leçon p. 30) ?

4 « Vous avez vu dans ces chambres bien plus que je n'y ai vu moi-même ! » (l. 796-797).
Relevez d'autres répliques de Watson exprimant la même idée. Quelle qualité de Sherlock Holmes met-il en avant ?

L'enquête

L'examen des lieux

Le début de l'enquête consiste à examiner le lieu du crime. L'enquêteur y relève des indices qui lui apportent des informations sur les circonstances du méfait. Le crime commis dans un local hermétiquement fermé de l'intérieur ou inaccessible (une maison, un bateau, une île...) a fasciné beaucoup d'auteurs de romans policiers. De ce fait, il constitue un stéréotype (ingrédient caractéristique) du roman policier.

5 Relisez les lignes qui présentent la description du manoir (l. 585 à 598). Quelle atmosphère se dégage de l'endroit ? Appuyez-vous sur les champs lexicaux dominants.

6 Après avoir fait un plan schématique des lieux, notez toutes les caractéristiques attribuées à chaque chambre, et notamment à celle du drame.

7 Caractérisez le comportement de Sherlock Holmes lors de l'examen des lieux (relevez les verbes de perception et les adverbes). De quel accessoire se sert-il (l. 621 à 691) ?

Les progrès de l'enquête

8 Quels indices l'examen des lieux et l'interrogatoire d'Hélène permettent-ils à S. Holmes de rassembler ? Faites une rapide synthèse.

9 Quelle information importante sa sortie du matin (l. 506 à 519) lui a-t-elle fourni ?

10 Sherlock Holmes est en mesure de donner, à ce stade du récit, le nom du coupable : relevez la phrase qui l'indique. Cependant, il ne livre pas la solution. Pourquoi cette révélation est-elle retardée, à votre avis ?

Écrire

11 Imaginez un lieu clos original qui pourrait servir de cadre à une intrigue policière. Présentez l'énigme en une page.

Lire

Daniel, enquêteur biblique

12 De tous les mystères, le crime commis dans une chambre fermée est l'énigme par excellence. Parmi les antécédents historiques de cette « catégorie », bon nombre de critiques évoquent l'épisode conté dans *La Bible* (*Livre de Daniel*, XIV).

14 Daniel était compagnon du roi et plus illustre que tous ses amis. Or les Babyloniens avaient une idole, du nom de Bel, et ils dépensaient pour elle chaque jour douze artabes de farine, quarante brebis et six métrètes de vin. Le roi la vénérait, et il venait chaque jour l'adorer. Daniel, lui, adorait son Dieu. Le roi lui dit : « Pourquoi n'adores-tu pas Bel ? » Il dit : « Parce que je ne vénère pas les idoles faites de main d'homme, mais le Dieu vivant, qui a

créé le ciel et la terre et qui a la maîtrise de toute chair. » Le roi lui dit : « Estimes-tu que Bel ne soit pas un dieu vivant ? Ne vois-tu pas tout ce qu'il mange et boit chaque jour ? » Daniel dit en riant : « Ne t'y trompe pas, ô roi ! Il est d'argile au-dedans, de bronze au-dehors et il n'a jamais rien mangé ni bu. » Le roi, irrité, appela ses prêtres et leur dit : « Si vous ne me dites pas qui mange ces provisions, vous mourrez. Mais si vous montrez que c'est Bel qui les mange, Daniel mourra, car il a blasphémé contre Bel. » Daniel dit au roi : « Qu'il soit fait selon ta parole ! » Les prêtres de Bel étaient au nombre de soixante-dix, outre les femmes et les enfants. Le roi vint donc avec Daniel à la maison de Bel. Les prêtres de Bel dirent : « Voici que nous allons sortir. Quant à toi, ô roi, présente les aliments et mets le vin coupé, puis ferme la porte et scelle-la de ton anneau. Si en venant au matin, tu ne trouves pas le tout mangé par Bel, nous mourrons, ou bien c'est Daniel qui mourra, lui qui a menti contre nous. » Ils affichaient leur mépris, car ils avaient fait sous la table une entrée dérobée, par laquelle ils s'introduisaient toujours et enlevaient les provisions. Or, dès qu'ils furent sortis et que le roi eut présenté les aliments à Bel, Daniel donna des ordres à ses serviteurs qui apportèrent de la cendre et en saupoudrèrent tout le sanctuaire, en présence du roi seul. En sortant, ils fermèrent la porte et la scellèrent de l'anneau du roi, puis ils s'en allèrent. Les prêtres vinrent durant la nuit, selon leur habitude, ainsi que leurs femmes et leurs enfants ; ils mangèrent et burent tout. Le roi se leva de bon matin et Daniel avec lui. Il dit : « Les sceaux sont-ils intacts, Daniel ? » Celui-ci dit : « Intacts, ô roi ! » Or, quand on eut ouvert les portes, le roi regarda la table, et il cria d'une voix forte : « Tu es grand, ô Bel ! et il n'y a en toi aucune fourberie ! » Daniel rit ; il empêcha le roi d'entrer à l'intérieur et il dit : « Vois donc le sol, et reconnais de qui sont ces traces. » Le roi dit : « Je vois des traces d'hommes, de femmes et d'enfants. » Le roi, en colère, fit alors appréhender les prêtres, leurs femmes et leurs enfants. Le roi les fit tuer, et il livra Bel à la discrétion de Daniel, qui le renversa ainsi que son temple.

La Bible de Jérusalem, Éd. du Cerf.

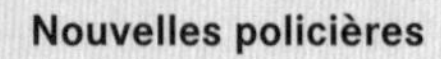

13 Lisez *Le Double Assassinat de la rue Morgue* (1841) d'Edgar Allan Poe et/ou *Le Mystère de la chambre jaune* de Gaston Leroux et présentez l'énigme du lieu clos.
Lisez également le roman du maître du genre en matière d'énigme en chambre close : *La Chambre ardente* de John Dickson Carr.

Enquêter

L'examen des poussières, l'origine des taches de boues et la classification des cendres de tabac... Voilà un secteur de la technique policière défriché par Sherlock Holmes bien avant les enquêteurs de la réalité. Ce détective imaginaire fait figure de novateur. Les méthodes d'investigation policière se rationalisent néanmoins à l'époque sous l'influence d'un français, Alphonse Bertillon, créateur de l'anthropométrie[1].

14 Sous forme d'exposé oral, présentez la vie et les découvertes de ce père de la police moderne.

1. Anthropométrie judiciaire : méthode d'identification des criminels par les mensurations et les empreintes digitales.

Texte 4

Vers neuf heures du soir, la lumière parmi les arbres s'éteignit, et l'obscurité se fit totale dans la direction du manoir. Deux heures s'écoulèrent avec une lenteur irritante; puis tout
850 à coup, comme sonnait onze heures, une lumière isolée jaillit faiblement juste en face de nous.

« Notre signal ! dit Holmes en sautant sur ses pieds. Il vient de la fenêtre du milieu. »

En sortant, nous prévînmes notre logeur que nous allions
855 rendre une visite tardive à une connaissance dans les environs, et qu'il n'était pas impossible que nous y passions la nuit. Puis nous nous engageâmes sur la route noire; un vent glacé nous fouettait le visage; c'était sinistre ! Seule une maigre lueur jaune guidait notre marche à travers l'obscurité.

860 Nous pénétrâmes facilement dans le domaine, car le vieux mur d'enceinte était troué de nombreuses brèches. Nous avançâmes à travers les arbres, nous atteignîmes la pelouse, la franchîmes, et nous allions enjamber la fenêtre quand jaillit d'un bosquet de lauriers ce qui nous sembla être un enfant hideux
865 tout tordu : il se lança sur la pelouse à quatre pattes et disparut dans la nuit.

« Seigneur ! murmurai-je. Vous avez vu, Holmes ?

Pendant une seconde Holmes resta figé de stupeur. Il avait posé sa main sur mon poignet et l'avait serré comme une
870 tenaille. Puis il le lâcha, et il rit tout bas en me chuchotant à l'oreille :

« Charmante maison ! C'était le babouin... »

J'avais oublié les étranges manies du docteur. C'est vrai : il possédait un babouin, et aussi un guépard. Peut-être ce dernier
875 bondirait-il sur nos épaules au moment où nous nous y attendrions le moins. J'avoue bien volontiers que je me sentis l'esprit plus libre quand, après voir suivi l'exemple de Holmes et m'être déchaussé, je me trouvai dans la chambre à coucher.

Sans un bruit, mon camarade referma les persiennes, remit
880 la lampe sur la table et jeta un coup d'œil autour de la pièce. Tout était dans le même état que l'après-midi. Holmes se glissa auprès de moi, mit sa main en cornet contre mon oreille, et les seuls mots que je compris furent :

« Le moindre bruit peut nous être fatal. »

885 Je lui fis un signe de tête pour lui indiquer que j'avais entendu.

« Nous devons rester assis sans lumière. Il pourrait la voir par la bouche d'aération. »

Nouveau signe de tête.

« Ne vous endormez pas. Votre vie peut dépendre d'un
890 moment d'inattention. Mettez votre revolver à portée de la main : vous aurez peut-être à vous en servir. Je m'assieds à côté du lit. Vous, prenez cette chaise. »

Je sortis mon revolver et le plaçai sur le coin de la table.

Holmes avait apporté un jonc long et mince ; il le posa à côté
895 de lui sur le lit, non loin de la boîte d'allumettes et d'une bougie. Puis il éteignit la lampe et nous sombrâmes dans l'obscurité.

Comment pourrai-je jamais oublier cette terrible veille ? Je n'entendais pas un bruit : même pas le souffle de mon compagnon, dont je savais pourtant qu'il était assis tout près de moi,
900 les yeux grands ouverts, et dévoré par une tension semblable à la mienne. Les persiennes étaient absolument hermétiques ; nous étions plongés dans une nuit totale. Parfois de l'extérieur nous parvenait le ululement d'un nocturne ; sous notre fenêtre nous entendîmes même une sorte de miaulement prolongé : le
905 guépard était vraiment en liberté ! L'horloge de la paroisse voisine, tous les quarts d'heure, tintait lugubrement. Ah ! qu'ils étaient longs, ces quarts d'heure ! Minuit, puis une heure, puis deux heures, puis trois heures sonnèrent : nous n'avions pas bougé de place ; nous étions prêt à tout.

910 Subitement du côté de la bouche d'aération surgit un rayon lumineux qui disparut aussitôt ; immédiatement lui succéda

une forte odeur d'huile brûlante et de métal chauffé. Dans la chambre voisine, quelqu'un avait allumé une lanterne sourde. J'entendis un léger bruit qui se déplaçait, puis tout redevint silencieux comme avant; mais l'odeur se faisait plus forte. Pendant une demi-heure, je restai assis l'oreille tendue. Alors soudain un autre bruit se fit entendre: un son très léger, très doux, quelque chose comme un petit jet de vapeur qui s'échappe d'une bouilloire. Au moment où nous l'entendîmes, Holmes sauta du lit, gratta une allumette, et frappa de son jonc avec fureur le cordon de sonnette.

« Vous le voyez, Watson ? hurla-t-il. Vous le voyez ? »

Mais je ne voyais rien. Lorsque Holmes avait allumé l'allumette, j'avais entendu un sifflement distinct quoique étouffé, mais la lueur brusque m'avait ébloui, et il m'était impossible d'identifier ce qu'il flagellait[1] avec une telle sauvagerie. Je pus apercevoir, toutefois, la pâleur de son visage, bouleversé d'horreur et de dégoût.

Il s'était arrêté de frapper, et il avait les yeux levés vers la bouche d'aération, quand le cri le plus horrifié que j'aie jamais entendu déchira soudain le silence de la nuit. Le cri monta, s'enfla : un hurlement sauvage fait de douleur, de terreur et de colère. Dans le village et même plus loin, on affirma plus tard que ce cri avait fait sauter du lit des gens qui dormaient. Il glaça nos cœurs. Interdit, pétrifié, je regardai Holmes; et lui, toujours blanc comme un linge, me regarda... Nous écoutâmes les derniers échos décroître et se perdre dans le silence qu'il avait brisé.

« Qu'est-ce que c'est ? bégayai-je alors.

– Tout est consommé ! répondit Holmes. Après tout, peut-être pour le mieux ! Prenez votre revolver et entrons chez le docteur Roylott. »

1. Flagellait : battait.

Il avait sur ses traits une implacable gravité quand il alluma la lampe. Deux fois il frappa à la porte de la chambre sans recevoir de réponse. Ce que voyant il tourna le loquet et entra ; je le suivis pas à pas, mon revolver armé à la main.

Ce fut un singulier spectacle qui s'offrit à nos yeux. Sur la table il y avait une lanterne sourde avec le volet à demi ouvert, et elle éclairait le coffre de fer dont la porte était entrebâillée. À côté de la table, sur la chaise de bois, était assis le docteur Grimesby Roylott ; il était vêtu d'une longue robe de chambre grise, sous laquelle dépassaient ses chevilles nues ; il avait aux pieds des babouches rouges. En travers de ses cuisses était posée la longue lanière que nous avions remarquée dans l'après-midi. Son menton pointait en l'air, et son regard s'était horriblement immobilisé sur un angle du plafond. Son front était ceint d'un ruban jaune bizarre, avec des taches brunes, qui paraissait lui serrer très fort la tête. Quand nous entrâmes, il ne bougea ni ne parla.

« Le ruban ! Le ruban moucheté ! » chuchota Holmes.

J'avançai d'un pas. Au même moment l'étrange ruban se déplaça, se dressa à la verticale au milieu des cheveux : la tête triangulaire et trapue d'un serpent au cou enflé apparut.

« C'est une vipère de marais ! cria Holmes. Le serpent le plus mortel des Indes ! Le docteur est mort moins de dix secondes après avoir été mordu... Ah ! La violence retombe bien sur le violent ? Et tel est pris qui croyait prendre... Ramenons cette bête dans son antre ; après quoi nous mettrons Mlle Stoner à l'abri, et nous irons faire notre rapport à la police. »

Tout en parlant, il s'était emparé promptement de la lanière que le vieillard avait sur ses genoux, il passa le nœud autour du cou du reptile, le détacha de sa proie et, à bout de bras, le rejeta dans le coffre-fort qu'il referma soigneusement.

Tels sont les faits réels qui concernent la mort du docteur Grimesby Roylott. Point n'est besoin que je prolonge un récit qui n'a déjà que trop duré en contant comment nous apportâmes les nouvelles à la jeune fille épouvantée, comment nous l'accompagnâmes dès le matin chez sa tante de Harrow, ni comment l'enquête de police conclut que le docteur avait été victime de son imprudence en jouant avec l'un de ses favoris. Le peu que j'avais encore à apprendre de l'affaire me fut narré par Sherlock Holmes, pendant notre voyage de retour.

« J'en étais arrivé, m'expliqua-t-il, à une conclusion entièrement erronée. Ce qui montre, mon cher Watson, combien il est périlleux de raisonner à partir de prémisses incomplètes. La présence des romanichels, et le mot "ruban" dont se servit la pauvre Julie pour tenter de donner une définition de ce qu'elle avait pu apercevoir à la lueur de son allumette, me mirent sur une piste ridiculement fausse. Mon seul mérite est d'avoir instantanément révisé mon jugement lorsque je fus convaincu que le danger qui menaçait l'occupante de la chambre ne pouvait venir de l'extérieur ni par la fenêtre ni par la porte. Cette bouche d'aération, et ce cordon de sonnette qui pendait juste au-dessus du lit, avaient rapidement éveillé mon attention. Quand je me rendis compte que c'était un faux cordon de sonnette et que le lit était chevillé au plancher, le soupçon me vint aussitôt que le cordon servait de passerelle à quelque chose se faufilant à travers la bouche d'aération et arrivant jusqu'au lit. Je pensai à un serpent, naturellement, et lorsque je reliai cette hypothèse avec le fait que le docteur avait un assortiment d'animaux des Indes, je me crus sur la bonne voie. Seul un homme impitoyable et intelligent qui était allé en Orient pouvait avoir eu l'idée d'utiliser une sorte de poison que la chimie est impossible à déceler. L'effet foudroyant d'un tel poison était également un avantage ! Il aurait fallu que le coroner eût de bons yeux pour apercevoir les deux petites taches noires qui lui auraient indiqué l'endroit où les crochets empoisonnés avaient fait leur œuvre. Puis je réfléchis au sifflement.

Évidemment le docteur devait rappeler le serpent avant que la lumière du jour ne pût le révéler à sa victime. Il l'avait dressé, sans doute grâce au lait que nous avons vu sur le coffre-fort, à revenir dès qu'il le sifflait. Il le faisait passer par la bouche d'aération à l'heure qu'il jugeait la meilleure, et il était bien sûr que le serpent ramperait le long de la corde et atterrirait sur le lit. La question était de savoir s'il mordrait ou ne mordrait pas la dormeuse. Peut-être a-t-elle échappé pendant toute une semaine à son destin, mais tôt ou tard elle devait succomber.

« J'avais abouti à ces conclusions avant d'entrer dans la chambre du docteur. L'inspection de sa chaise me prouva qu'il avait l'habitude de grimper sur ce siège, ce qui lui était indispensable pour atteindre la bouche d'aération. Le coffre-fort, le bol de lait, la lanière et son nœud coulant suffirent à ôter tous les doutes qui auraient pu subsister dans mon esprit. Le bruit métallique entendu par Mlle Stoner fut produit sans nul doute par la porte du coffre-fort que le docteur refermait en hâte sur son terrible locataire. Ayant tout deviné, je pris les dispositions que vous m'avez vu prendre afin d'avoir la preuve de ce que je supposais. J'entendis le bruissement de la bête qui glissait le long du cordon ; vous avez dû l'entendre aussi ; aussitôt j'ai frotté une allumette et je suis passé à l'attaque.

– Avec, pour résultat, sa retraite à travers la bouche d'aération ?

– Et comme deuxième résultat, celui de l'avoir fait se retourner vers son maître. Quelques-uns de mes coups de canne ont dû l'atteindre, le rendre furieux, et, comme tout serpent furieux, il a attaqué la première personne qu'il a vue. Si vous voulez, je m'avoue responsable, indirectement, du décès du docteur Grimesby Roylott ; mais c'est une responsabilité qui ne pèse pas lourd sur ma conscience ! »

Conan Doyle, « Le ruban moucheté », in *Trois aventures de Sherlock Holmes*, trad. B. Tourville, Éd. Robert Laffont.

Illustration de Némecek, Éd. Boivin vers 1920.

Questions

Repérer et analyser

Les éléments du suspense

Dans un récit à énigme, l'attente de la résolution du mystère crée un effet de suspense. Les procédés mis en œuvre reposent sur la caractérisation des lieux qui se montrent souvent hostiles, sur le traitement du temps (ralentissement de l'action), sur les sentiments et les interprétations des personnages sur le danger qui les environne.

Le cadre spatio-temporel

1 À quel moment de la journée et dans quels lieux l'action se déroule-t-elle ? En quoi le cadre spatio-temporel contribue-t-il à installer le suspense ?

2 Relevez les notations visuelles et auditives qui concourent à intensifier l'atmosphère de cette scène.

Le rythme narratif

3 **a.** Combien de temps s'écoule-t-il de la ligne 847 à la ligne 973 ? Appuyez-vous sur un relevé précis des indications temporelles. Quel est l'effet produit ?

b. Relevez des commentaires du narrateur sur ce sujet.

Les champs lexicaux et le point de vue

4 Relevez le champ lexical de la peur. Quels personnages sont en proie à la peur ? Pour quelle raison ?

5 « Vous le voyez, Watson ? hurla-t-il. Vous le voyez ? » « Mais je ne voyais rien » (l. 922-923). Relisez la suite du paragraphe et dites en quoi le point de vue sert au suspense.

L'enquête

La vérification des hypothèses

À la fin d'un récit policier, l'enquêteur fournit l'explication de l'énigme : au cours de son raisonnement, il vérifie les hypothèses en reliant entre eux les indices. Des connecteurs chronologiques (quand, lorsque…) et/ou logiques (si, comme, parce que, donc) peuvent marquer la progression de ce raisonnement. Dans un récit policier, la fin correspond à un retour à l'ordre social.

6 Dans l'explication finale (l. 983 à 1039), relevez les verbes appartenant au champ lexical du raisonnement puis montrez que Sherlock

Holmes reprend toutes les étapes de son enquête. Appuyez-vous sur les connecteurs chronologiques et logiques.

7 Mettez en relation indices et déductions correspondantes. En quoi cette démarche illustre-t-elle le raisonnement mis en évidence dans la première scène de la nouvelle ?

Indices	Déductions
Faux cordon	
Bouche d'aération	
Coupe de lait	
Sifflements	
Coffre, bol, lanière	

La fin de l'enquête

8 Dressez un portrait du coupable. De quoi meurt-il ?

9 Sur quelle figure de Sherlock Holmes la nouvelle se clôt-elle ?

Le titre et la visée

10 Au terme de sa lecture, quel sens le lecteur donne-t-il au titre de la nouvelle ? Quel rôle « le ruban moucheté » joue-t-il dans l'énigme ?

11 **a.** Expliquez la phrase : « La violence retombe bien sur le violent » (l. 966-967).

b. Quelle vision du monde cette nouvelle offre-t-elle ?

12 Quelles sont les différentes visées de cette nouvelle ? Appuyez-vous sur l'ensemble de vos réponses.

Écrire

L'écriture d'une scène de suspense

13 Imaginez un personnage menacé par un criminel et enfermé dans un lieu clos. Après avoir donné rapidement les circonstances de la scène, vous exprimerez surtout ses sentiments et ses sensations. Vous pourrez faire ce récit à la première ou à la troisième personne. Servez-vous des procédés mis à jour précédemment (évocation des lieux, effet de ralentissement du temps, champ lexical de la peur).

Se documenter

Sherlock Holmes

14 Le personnage de Sherlock Holmes est devenu un mythe et a inspiré de nombreux auteurs. Recherchez ses traces chez Maurice Leblanc, Jean Ray, John Dickson Carr, Thomas Boileau-Narcejac, Ellery Queen…

Le récit à énigme

Voici quelques principes établis par S. S. Van Dine.

1) Le lecteur et le détective doivent avoir des chances égales de résoudre le problème.

2) Le coupable doit être déterminé par une suite de déductions logiques et non pas par hasard, par accident, ou par confession spontanée.

3) Dans tout roman policier il faut, par définition, un policier. Or ce policier doit faire son travail et il doit le faire bien. Sa tâche consiste à réunir les indices qui nous mèneront à l'individu qui a fait le mauvais coup dans le premier chapitre.

4) Un roman policier sans cadavre, cela n'existe pas. (…) Faire lire trois cent pages sans même offrir un meurtre serait se montrer trop exigeant vis-à-vis d'un lecteur de roman policier. La dépense d'énergie du lecteur doit être récompensée.

5) Le problème policier doit être résolu à l'aide de moyens strictement réalistes. Apprendre la vérité par le spiritisme, la clairvoyance ou les boules de cristal est strictement interdit. Un lecteur peut rivaliser avec un détective qui recourt aux méthodes rationnelles.

6) Le coupable doit toujours être une personne qui ait joué un rôle plus ou moins important dans l'histoire, c'est-à-dire quelqu'un que le lecteur connaisse et qui l'intéresse. Charger du crime, au dernier chapitre, un personnage qu'il vient d'introduire ou

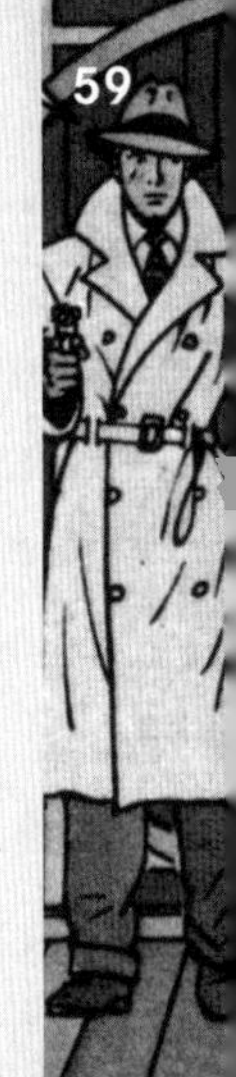

qui a joué dans l'intrigue un rôle tout à fait insignifiant serait, de la part de l'auteur, avouer son incapacité de se mesurer avec le lecteur.

7) Le fin mot de l'énigme doit être apparent tout au long du roman, à condition, bien sûr, que le lecteur soit assez perspicace pour le saisir. Je veux dire par là que, si le lecteur relisait le livre une fois le mystère dévoilé, il verrait que, dans un sens, la solution sautait aux yeux dès le début, que tous les indices permettaient de conclure à l'identité du coupable et que, s'il avait été aussi fin que le détective lui-même, il aurait pu percer le secret sans lire jusqu'au dernier chapitre. [...].

8) Ce qui a été présenté comme un crime ne peut pas, à la fin du roman, se révéler comme un accident ou un suicide. Imaginer une enquête longue et compliquée pour la terminer par une semblable déconvenue serait jouer au lecteur un tour impardonnable.

Article de S. S. Van Dine publié en septembre 1928
dans *L'American Magazine*.

15 *Le ruban moucheté* correspond-il à cette conception du récit à énigme ?
16 Analysez un roman policier d'Agatha Christie (*Le Crime de l'Orient-Express, Les dix petits nègres*...) à l'aide de ces quelques principes.

Lire

Portrait de « coupables »

17 Arsène Lupin est le gentleman cambrioleur créé par Maurice Leblanc. Lisez une de ses aventures, par exemple *Le Collier de la Reine*, et analysez le personnage. En quoi se distingue-t-il des figures traditionnelles de criminels ?
18 Fantômas est le sombre héros des romans de Souvestre et Allain. Il est l'ange du Mal et sa seule évocation terrorise Paris dans les années 1910. Robert Desnos a contribué à immortaliser le mythe du personnage dans le poème *Complainte de Fantômas*.

Complainte de Fantômas

Écoutez… Faites silence…
La triste énumération
De tous les forfaits sans nom,
Des tortures, des violences
Toujours impunis, hélas !
Du criminel Fantômas.

Lady Beltham, sa maîtresse,
Le vit tuer son mari
Car il les avait surpris
Au milieu de leurs caresses.
Il coula le paquebot
Lancaster au fond des flots.

Cent personnes il assassine.
Mais Juve aidé de Fandor
Va lui faire subir son sort
Enfin sur la guillotine…
Mais un acteur, très bien grimé,
À sa place est exécuté. […]

La police d'Angleterre
Par lui fut mystifiée.
Mais, à la fin, arrêté,
Fut pendu et mis en terre.
Devinez ce qui arriva :
Le bandit en réchappa.

Dans la nuit sinistre et sombre,
À travers la Tour Eiffel,
Juv' poursuit le criminel.
En vain guette-t-il son ombre.
Faisant un suprême effort
Fantômas échappe encor. […]

Dans la mer un bateau sombre
Avec Fantômas à bord,
Hélène, Juve et Fandor
Et des passagers sans nombre.
On ne sait s'ils sont tous morts,
Nul n'a retrouvé leurs corps. […]

Pour ceux du peuple et du monde,
J'ai écrit cette chanson
Sur Fantômas, dont le nom
Fait tout trembler à la ronde.
Maintenant, vivez longtemps,
Je le souhaite en partant.

Allongeant son ombre immense
Sur le monde et sur Paris,
Quel est ce spectre aux yeux gris
Qui surgit dans le silence ?
Fantômas, serait-ce toi
Qui te dresses sur les toits ?

Robert Desnos, Fragments de « La complainte de Fantômas »,
recueilli dans *Fortunes*, Éd. Gallimard.

Nouvelle 2

Faux frère

de Léo Malet

Né en 1909, journaliste, poète, romancier, Léo Malet a introduit en France l'esprit et les thèmes du roman noir américain (voir l'introduction, p. 3). Il crée en 1943 son personnage le plus célèbre : Nestor Burma, détective malchanceux, pauvre, sympathique et désinvolte. Celui-ci sera le héros d'une série de romans intitulée Les Nouveaux Mystères de Paris.

La nouvelle Faux frère *a été publiée dans* Mystère Magazine *n° 89 en juin 1955. L'auteur indique, dans une note, qu'un « concours de ressemblances » organisé par le quotidien* Ce Soir *en 1946 ou en 1947 lui a fourni la source d'inspiration de cette nouvelle.*

Je n'aime pas beaucoup le palais de Justice, qui – je le signale en passant pour ceux de mes lecteurs qui n'auraient pas encore été arrêtés – abrite des locaux de la P.J. Mais enfin, je traînais dans le coin, désœuvré, et comme cela faisait une paye que je n'avais pas eu l'occasion de voir le commissaire Florimond Faroux je montai lui dire bonjour. Je ne sais pas pourquoi, dès qu'il me vit, il sursauta et me toisa immédiatement d'un œil soupçonneux.

– Je ne suis pas Pierrot-le-Fou[1], protestai-je en ricanant.

1. Pierrot-le-Fou : criminel célèbre qui a marqué les annales du Quai des Orfèvres.

10 Il répliqua :
– Vous êtes Nestor Burma. Et ça suffit à mon bonheur.
– On ne le dirait guère.
– Ça va. Votre visite ne me plaît pas.
– Bon. Fallait le dire.
15 Je voltai et me dirigeai vers la sortie.
– Restez, ordonna-t-il. Et asseyez-vous… (j'obéis)… que je boive le calice jusqu'à la lie[2].
– Vous n'avez rien de mieux, comme apéro ?
Il me regarda d'un air menaçant :
20 – J'aurai… du tabac… et pas pour votre pipe à tête de taureau, si… Voyez-vous, je suis en train de me poser une question.
– Excellent entraînement pour un flic.
– Je me demande si je n'ai pas commis une bêtise.
– Alors, il ne faut pas me vider. Je…
25 – … et si, cette bêtise, ce n'est pas vous qui me l'auriez fait commettre.
– Bon Dieu, Florimond ! Vous ne déménagez pas ? Ça fait presque un an que nous ne nous sommes vus.
– Justement. Ça fait plus d'un an, et je ne pensais plus à
30 vous…
– C'est un tort.
– Vous ne croyez pas si bien dire. Je ne pensais plus à vous et vous rappliquez, comme ça, par hasard… Tout à fait par hasard, n'est-ce pas ?
35 – Absolument par hasard.
Il gémit :
– Rigoureusement par hasard. Juste au moment où je renifle quelque chose de bizarre.
– Quoi donc ?
40 – Ne faites pas l'imbécile.

2. Boire le calice jusqu'à la lie : souffrir jusqu'au bout quelque chose de pénible, de douloureux.

– Vous le faites bien, vous.

Il éclata :

– Parce que j'en suis un. Mais vous ne l'emporterez pas au paradis, Nestor Burma.

45 – Qu'ai-je à fiche du paradis ? Je suis athée[3].

– Je vous ferai enchrister[4] pour outrage à magistrat.

Je restai bouche bée, puis mes yeux se portèrent sur le calendrier et j'éclatai de rire :

– Sacré Faroux ! Vous m'avez eu. Premier avril, hein ?

50 – Oui, premier avril, approuva-t-il, sans se dérider. En général, je ne sais jamais à quelle date je vis, mais quand vous m'êtes apparu, tout à l'heure, je me suis souvenu que nous étions le premier avril... et j'ai deviné que vous veniez vous payer ma fiole.

55 – Je vous assure...

– N'assurez rien. Nous avons reçu une lettre anonyme.

– Contre moi ?

– Qui pourrait bien se retourner contre vous, si...

Il s'interrompit, fouilla dans des paperasses, brandit une 60 feuille de papier écolier :

– Faut-il vous la lire ? demanda-t-il, douloureusement sarcastique.

– Je vous en prie.

Il cracha un juron et lut :

65 – Un ami de l'ordre de la loi... (il soupira)... vous informe que quelque chose de moche se produira le 1er avril... (resoupir)... vers 17 h 30, aux alentours du 25 de la rue Géraudie, à Châtillon-sous-Bagneux.

– Et alors ? fis-je.

70 Machinalement, je consultai ma montre. Elle marquait 5 h 15.

| **3.** Athée : qui ne croit pas en Dieu. | **4.** Enchrister : façon imagée de dire « arrêter ».

– Et alors ? fit Faroux, en écho. Oui, vous pouvez gaffer l'heure. Le moment approche où vous pourrez rigoler tout votre saoul. Commencez tout de suite, même, parce que, quand mes gars rentreront, étant allés là-bas pour des haricots, il sera trop tard.

– Si je comprends bien, m'exclamai-je ahuri, vous me soupçonnez de vous avoir envoyé ce poulet pour vous faire marcher ?

– Et j'ai marché, gueula-t-il. J'ai été sur le point de ne pas marcher, mais j'ai marché. Les lettres anonymes, on ne les fout pas au panier, ici. Et vous le savez bien. Celle-là m'a bien paru bizarre, mais on ne sait jamais. Alors, j'ai marché. Ou plutôt, j'ai fait marcher deux gars de ma brigade, mais c'est tout comme. Et quand, tout à l'heure, vous vous êtes annoncé… Premier avril ! Ça m'a tout de suite sauté aux yeux…

J'en avais marre, de cette histoire de fous. J'allais le lui dire en termes choisis, tout ce qu'il y avait de plus choisis, lorsque le téléphone m'en empêcha. Faroux décrocha :

– Allô… oui… (Il sursauta et son galurin[5] alla balayer le parquet.)…

Quoi ?… Oh m… !

Il raccrocha.

– Mes excuses, Nestor Burma. Ce n'était pas un poisson d'avril, encore que ce soit une sale blague pour le type qu'on vient de buter à coups de mitraillette, devant le 25 de la rue Géraudie, à Châtillon-sous-Bagneux.

Faroux m'avait trop injurieusement soupçonné pour ne pas essayer de se racheter. Lorsque j'émis la prétention de l'accompagner, il ne s'y opposa pas. Nous trouvâmes tout notre monde, flics, macchabée[6] et meurtriers – ils étaient deux

5. Galurin : chapeau (argot).

et avaient été alpagués sur-le-champ – au commissariat de Montrouge. Il y avait aussi, pour compléter la collection, une paire de journalistes dont mon copain Marc Covet, du
105 *Crépuscule*. Faroux se fit expliquer l'affaire.

– Eh bien, voilà raconta Grégoire, un de ses inspecteurs. Nous étions en planque dans la rue en question, Estève et moi, mais sans trop croire à notre boulot, à cause que… bref…

– À cause que quoi ? grogna Faroux.

110 – À cause de la date, qui nous est brusquement revenue… Premier avril.

Les bacchantes[7] du commissaire se hérissèrent.

– Le 1er avril, c'est un jour comme un autre. Ensuite ?

– Oui, patron. Bien, patron. Donc, patron, on était plan-
115 qués dans un terrain vague, derrière une palissade. La rue Géraudie n'est pas très passante. Elle n'est même pas passante du tout et il n'y a pas beaucoup de maisons. Quelques pavillons ou cabanes à lapins, c'est tout. Enfin, vers 5 heures et quelques, un type s'amène, l'air de chercher le numéro 25.
120 À ce moment une bagnole, sortant je ne sais d'où, fonce et ça pète le feu. Notre promeneur tombe. Nous courons après l'auto et tirons dans le tas. Les pneus se ratatinent et la bagnole embrasse un arbre. Nous n'avons pas eu de mal à cueillir les deux lascars.

125 – Et comment s'appellent-ils, ces lascars ?

– L'un, Henri Azémar, et l'autre, Octave Richer, si nous en croyons leurs papiers, mais ils ont l'air faux.

Si les papiers des gars étaient faux, les gars eux-mêmes n'avaient pas l'air plus franc. Ils arboraient le faciès[8] classique
130 du gangster modèle courant, autant qu'on pouvait en juger après un léger interrogatoire exécuté pas des flics banlieusards sevrés de distractions[9]. Mais, interrogés d'une façon ou d'une

6. Macchabée : cadavre (argot).
7. Bacchantes : moustache (argot).
8. Faciès : aspect du visage.
9. Sevrés de distractions : privés de distraction.

autre, le résultat restait négatif. Ils étaient aussi muets que le bonhomme qu'ils avaient descendu. Celui-là, dès que nous 135 fûmes en présence de son corps criblé de balles, nous arracha un petit sifflotement, à Faroux et à moi.

– J'ai déjà vu cette tête quelque part, dit le commissaire.

– Moi aussi, dis-je. Et pas plus tard qu'avant-hier, sur l'écran d'un cinéma, dans Dernières amours. C'est Pierre Barry, 140 l'acteur, ou quelqu'un qui lui ressemble plus ou moins.

– Oui, en effet. On l'a fouillé ?

La carte d'électeur trouvée sur le cadavre le donnait pour un certain Maurice Daragno.

– Un nom qui sent son gangster à cent mètres, commenta 145 Faroux. D'ailleurs, cette tête…

– … rappelle celle de Pierre Barry.

– Ouais. Justement.

Il n'en dit pas plus, s'il n'en pensait pas moins.

Le visage de ma visiteuse me disait quelque chose et, pour 150 ne pas être en reste, je lui aurais bien répondu. C'était une jolie blondinette, avec de grands yeux rougis et mouillés de larmes. Elle était pauvrement, mais gentiment mise. Elle tenait Le Crépuscule à la main et serrait d'autres journaux sous le bras.

– J'ai lu toute la presse, dit-elle, d'une voix étouffée, et je 155 viens de la police. J'ai appris que vous étiez là-bas, hier, et je… Je m'appelle Louisette Daragno. Je suis sa sœur…

– Oui, dis-je, avec compassion. Asseyez-vous.

Elle prit place dans le fauteuil réservé à la clientèle.

– Toutes ces horreurs qu'on raconte sur lui, ce n'est pas vrai. 160 Il n'aurait pas fait de mal à une mouche. Trop… un peu simplet, si vous voyez ce que je veux dire. Ce n'était pas un gangster.

– Qui dit que c'en était un ?

– Les policiers. Mais ils se trompent. Un gangster ! Je l'au-165 rais su, moi sa sœur. Il a toujours vécu honorablement, je…

Elle se mit à sangloter dans Le Crépu, qu'elle devait prendre pour son mouchoir. Pour une fois, le canard[10] de Marc Covet servait à quelque chose.

– Voyons, calmez-vous, dis-je, et dites-moi ce que vous
170 voulez. Je suis détective privé et je ne vois pas...

– C'est bien parce que vous êtes détective que je suis venue vous trouver. Je veux que vous laviez la mémoire de mon pauvre Maumau... Maurice, je veux dire... de toutes ces saletés. Mon Dieu ! si papa et maman vivaient encore, qu'est-
175 ce qu'ils penseraient ? Ce n'était pas un voyou et si je ne comprends pas ce qu'il allait faire dans cette banlieue, lorsqu'on l'a... lorsqu'on l'a... non, ce n'était pas un gangster. Consentez-vous à travailler là-dessus, M. Burma ? On m'a dit que vous étiez habile et... (ses yeux m'imploraient)... et
180 bon.

– Le plus habile des flics autonomes est toujours bon... Parfois même comme la romaine[11]. Le type qui prétend que votre frère était un gangster, c'est le commissaire Faroux ?

– Un nom comme ça, oui.

185 – Alors, je vais tâcher de tirer ça au clair. Faroux et moi, il faut toujours que nous soyons d'une opinion diamétralement opposée, sans cela la terre risquerait de s'arrêter dans son mouvement... Votre frangin n'était pas un truand et je le prouverai, conclus-je, en ne me dissimulant pas que je m'avançais
190 beaucoup, mais ma visiteuse venait de croiser les jambes et devant une réalité de ce genre je perds toujours un peu le sens des autres.

Transportée de reconnaissance, elle sauta du fauteuil et m'embrassa. Je me laissai faire. Rayon honoraires, je ne pouvais pas
195 espérer plus. Avant son départ de mon bureau, j'essayai d'obtenir de la môme Louisette quelques tuyaux sur son malheureux

10. Canard : journal de peu de valeur (familier).
11. Être bon comme la romaine : se dit de quelqu'un de trop bon.

frère. Ils n'étaient pas nombreux car cela faisait un certain temps qu'ils s'étaient perdus de vue, eux deux.

Mais il avait toujours été convenable, bien honnête et tout. 200 Depuis plusieurs mois, à ce qu'elle croyait, il ne travaillait pas, la maison où il exerçait la profession, tranquille s'il en fut, d'aide-comptable, ayant procédé à des compressions de personnel. Elle ne savait pas s'il avait trouvé autre chose. Une fois seul, j'appelai Faroux au téléphone.

205 – Alors, dis-je, paraît que c'est un gangster, comme l'indiquait son blaze ?

– Qui vous a dit ça ?

– Sa sœur éplorée. Elle veut que je vous contre.

– D'où sort-elle le fric ?

210 – Pas question de fric. Je travaille à l'œil. Pour ses beaux yeux. Alors, c'est un gangster ?

– Si c'en n'est pas un, il ressemble beaucoup à un client qui nous a été signalé, notamment depuis le hold-up du Crédit Italien, auquel, entre parenthèses, ont participé les deux lascars 215 d'hier. Il s'agirait d'un surnommé Maumau la Rincette et dont les traits offrent une certaine similitude avec ceux de Pierre Barry, la vedette de cinéma. C'est tout ce que nous savons sur lui. Il n'a pas de casier, du moins à notre connaissance. Alors nous ne sommes sûrs de rien, mais ça n'empêche pas les 220 sentiments.

– Hum... Maumau la Rincette. Et le Daragno se prénommait Maurice.

– Exactement. On fera quelque chose de vous.

– Mais il paraît que ce Daragno menait une vie des plus 225 rangées.

– En apparence, ce qui ne veut rien dire. Maumau la Rincette a été assez adroit pour ne jamais tomber entre nos pattes. Il peut très bien avoir eu une couverture honorable tout le temps de sa p... de vie.

230 – Quelle est votre théorie ?

– Maumau la Rincette, à l'occasion du hold-up du Crédit Italien, a doublé nos deux truands d'hier qui le lui ont fait payer.

– Dans ce cas, comment expliquez-vous la lettre anonyme ?
235 À moins que ce soit toujours moi l'expéditeur.

Il ignora le sarcasme.

– Il y en a peut-être un quatrième, comme au bridge…

– Daragno faisant le mort.

– … qui a trouvé ce moyen de se débarrasser de tout le
240 monde.

– Voilà les premières paroles sensées que vous prononcez, Florimond.

– Et les dernières, Nestor, parce que je vais raccrocher. Non sans vous avertir que, si vous entreprenez de me donner de
245 la tablature pour les belles mirettes[12] d'une blonde, vous risquez de vous casser le pif, cette fois-ci. Parce que, à propos de beaux yeux, ce n'est pas non plus pour ceux des inspecteurs de ma brigade que les mitrailleurs d'hier ont truffé Daragno de plomb. Un peu de bon sens, que diable ! En met-
250 tant les choses au mieux, ce jeune homme n'était pas le petit saint dépeint par sa frangine.

Je connais mon Florimond Faroux. Lui non plus, il ne ferait pas de mal à une mouche, non par confraternité, mais parce que ce n'est pas un cheval trop vache pour une bourrique, si
255 l'on comprend bien toutes ces comparaisons zoologiques. Seulement, il ne lâcherait pas ce qui paraissait être le seul bout, sinon le bon, de cette étrange histoire, et il fallait bien convenir, avant de lui donner tort, que le cas de ce Daragno n'était pas des plus clairs. Il ressemblait à un bandit recherché

12. Mirettes : les yeux (argot).

260 par la police et il prenait sa dose dans la meilleure tradition du rôle. C'était troublant, il ressemblait à un bandit... et aussi à Pierre Barry, l'artiste. Toutes ces ressemblances me firent penser à la petite fermière qu'on voit sur les boîtes de camembert, tenant dans sa main une autre boîte de camembert sur 265 laquelle une autre petite fermière, etc., et ainsi jusqu'à l'infini. Bon Dieu ! Ça flanquait le vertige, mais on pouvait toujours vérifier. Il me fallait interviewer Pierre Barry. Ce ne fut pas extrêmement aisé. Enfin, grâce à l'intercession de l'ami Bubu – Raymond Bussières[13], pour le public des salles 270 obscures – je joignis le monstre sacré. Je ne me présentai pas à lui sous le nom de Nestor Burma, détective. Je lui dis m'appeler Refreger et être journaliste. Pendant une bonne demi-heure, nous parlâmes de ses anciens films – heureusement, je les avais à peu près tous vus – de celui qu'il tournait actuel-275 lement et de ses projets. Puis, sans avoir l'air d'y toucher, j'amenai la conversation sur son sosie[14], présentement à la morgue.

– Oui, j'ai entendu parler de cela, dit-il, d'un ton aussi lointain que le dernier chèque de cent mille balles établi à mon 280 ordre. J'ai vu des photos de ce malheureux... Sosie ?... hum ! (Il avança une moue charmouante), c'est beaucoup dire.

C'était beaucoup dire, soit ! Mais Daragno et lui se ressemblaient tout de même pas mal. Je souris.

– Heureusement que les sosies, même approximatifs, ne 285 courent pas les rues. Sans se substituer aux acteurs sur le plateau, ils pourraient tenter de passer à la caisse à leur place.

– Les sosies, c'est la plaie, articula-t-il, de sa belle voix aux graves sonorités. Sosies, ou prétendus tels, j'insiste. C'est fou le nombre de godelureaux qui poussent l'outrecuidance[15]

13. Raymond Bussières : acteur célèbre dans le cinéma d'après-guerre jouant souvent les seconds rôles.

14. Sosie : personne qui a une parfaite ressemblance avec une autre.

15. Outrecuidance : estime exagérée de soi.

290 jusqu'à s'imaginer posséder les traits d'un acteur célèbre. (Sous-entendu : comme mezigue[16].)

– Ça impressionne leurs copines, suggérai-je.

– Ça m'étonnerait. En général, ces jeunes personnes ont l'œil trop exercé pour confondre aussi grossièrement. Tenez, je vais 295 vous montrer quelque chose… Il se leva avec majesté et alla fouiller dans un secrétaire. Voici un an environ, expliqua-t-il, un journal a organisé un « concours de ressemblances ». Le lecteur qui croyait ressembler à une personnalité connue donnée – Vincent Auriol[17], Yves Deniaud, Sophie Desmarets 300 et moi-même, entre autres, avons servi de cobayes – était prié d'envoyer sa photo. J'estime que les résultats ont été ridicules… Parmi les coupures de presse, soigneusement classées dans un dossier, il en choisit une qu'il me tendit. Franchement, monsieur, s'exclama-t-il, avec l'accent d'indignation qu'il réservait 305 habituellement à sa grande scène des deux cents derniers mètres de pellicule, en quoi, je vous le demande, ces deux individus me ressemblent-ils ?

Flanquant un médaillon dans lequel s'inscrivait le masque de Pierre Barry, fatal et énigmatique à souhait, deux photos 310 étaient disposées. Celle des sosies relatifs de la vedette et gagnants de l'épreuve de ce jour lointain. Ils présentaient le même visage ovale, le même œil enfoncé et ténébreux, le même nez droit et le même menton un peu mou. Sans crier au miracle, il y avait de ça, comme on dit, et ils constituaient des doubles 315 fort satisfaisants. Le comédien ne partageait pas cet avis, mais en l'occurrence l'avis du comédien m'importait peu. Toutefois, j'abondai dans son sens :

– Vous avez raison, dis-je. Il y en a qui prendraient facilement…

16. Mézigue : moi-même (argot).
17. Vincent Auriol (1884-1966) : président de la IVe république (1947-1954).

– Oui, compléta-t-il. Pour une tasse de café.

– Et ce fut tout ?

– Tout quoi ?

– D'autres sosies ne se sont pas manifestés ?

– Dieu merci, non. Deux grotesques de cet acabit me suffisent. Vous eussiez voulu qu'il y en eût des milliers ?

– Oh ! vous savez, dis-je, au point où nous en sommes…

Je jetai un ultime regard sur la coupure avant de la lui rendre. Sous le cliché, les noms et adresses des heureux lauréats étaient mentionnés. Le premier s'appelait Maurice Daragno. Le second Jacques Grangeon. Je notai mentalement l'adresse de ce dernier.

Avec cette crise du logement, il y avait de fortes chances pour que le nommé Grangeon demeurât toujours au même endroit. (Bon Dieu ! je finirais par parler comme l'acteur, si je ne me surveillais pas.)

En effet, je le trouvai au gîte. C'était un gars qui ressemblait à Pierre Barry et, par voie de conséquence, à Maurice Daragno, mais de traits seulement. Il dépassait de dix bons centimètres la taille du mitraillé de Châtillon et devait le surclasser d'au moins vingt kilos. Sa joue droite – celle qu'on ne voyait pas sur la photo reproduite par le journal – s'adornait d'une très décorative balafre en zigzag. C'est-à-dire que si Daragno portait un nom qui fleurait son gangster à cent mètres, ainsi que l'avait remarqué Faroux, celui-là en avait au moins un profil. Mais au bout de quelques minutes de conversation, je me convainquis que le citoyen Grangeon ne pouvait en rien être classé dans cette catégorie sociale, ou plutôt hors-sociale. Je fus déçu, mais ne m'avouai pas battu. Je lui dis franchement que j'étais détective privé et que je m'intéressais à l'assassinat de son co-lauréat du concours de ressemblances, assassinat dont il avait dû lire le récit dans la presse. Oui, il l'avait lu. Je lui demandai s'il était entré en rapport avec Daragno, à l'époque du concours. Non. N'avait-il pas reçu la visite d'un autre sosie qui aurait voulu, par exemple, créer une association des doubles de Pierre Barry, comme il existait déjà la Société des Dupont-Durand et le Club des Cent Kilos ?

– Si, dit-il. Un gars a demandé à me voir. Un gars qui paraissait mijoter une idée comme celle que vous dites, et qui avait un vague air de famille avec moi. (M. Grangeon voulait bien ressembler à Pierre Barry, mais pas au premier pignouf[18] venu.) Nous nous sommes rencontrés dans un bistrot et je n'ai plus entendu parler de rien.

– Il vous a donné son nom ?

– Non. Il m'avait écrit et tout cela devait figurer sur l'enveloppe, mais au cours de notre entrevue, il a récupéré le tout, ainsi que la photo qui était jointe.

– Un petit prudent, on dirait, hein ? Vous ne vous rappelez pas ce nom ?

– Vous savez, depuis le temps...

– Comment était cet homme ? Je veux dire, à part la tête. Grand comme vous ?

– Moins grand et moins costaud.

– Bon. C'est regrettable que vous ne vous souveniez plus du nom de ce zèbre. Si des fois ça vous revenait...

Je lui glissai la pièce et mon numéro de téléphone. Il entreprit de l'inscrire illico[19] sur un petit agenda. J'ignore quelle profession exerçait le sieur Grangeon, mais il faisait l'effet d'un monsieur soigneux, ou à la mémoire courte, et les pages de son carnet étaient couvertes de notes.

– Ce que nous cherchons ne serait pas là-dedans, par hasard ? suggérai-je.

– Ma foi, on peut voir...

18. Pignouf : personne mal élevée, sans aucune délicatesse (familier).

19. Illico : sur-le-champ, immédiatement (familier).

Il se plongea dans la lecture de son calepin. De temps en temps, il butait sur un nom, levait la tête et faisait un visible
385 effort cérébral pour situer ce nom et le porteur dudit. Puis, il reprenait sa lecture. Il répéta ce manège plusieurs fois, et la dernière fois resta songeur plus longtemps que de coutume.

– Meunier ou Maunier, dit-il, enfin. Meunier ou Maunier ? Alors là, je sèche. Je ne me souviens pas avoir jamais connu
390 un Meunier ou un Maunier. Et 110, rue d'Alésia, ça ne me dit rien, non plus. C'est peut-être ce type.

Au 110, rue d'Alésia, je fus très heureux d'apprendre que Lucien Maunier ne demeurait plus dans la maison. Depuis le 15 février, me dit la concierge. De la cabine téléphonique du
395 « Boléro » (Ravel propriétaire), place Victor-Basch, j'appelai Faroux.

– Je voudrais un tuyau sur le hold-up du Crédit Italien. Il a eu lieu en février, si mes souvenirs sont exacts. Mais quel jour ?

– Vers le 20, je crois. Pourquoi ?

400 – Pour rien. On peut venir vous exposer une théorie ?

– Imaginez-vous, mon vieux Faroux, dis-je, que vous vous appelez Maunier (ce qui peut faire Maumau pour les intimes), que vous ressemblez plus ou moins à Pierre Barry et qu'au lieu d'être flic, vous truandez de droite et de gauche pour vous
405 procurer le bœuf quotidien. Vous voyez un jour dans un canard la photo de deux types qui ont à peu près la même bobine que vous. Vous vous dites qu'on ne sait jamais, que cela peut être utile un jour, et vous entrez en rapport avec les deux types en question. Comme Grangeon est d'un gabarit
410 supérieur au vôtre, vous le laissez tomber. Mais vous cultivez, toujours en prévision de l'avenir, le jeune Daragno, personnage un peu naïf, et qui, en plus des traits de visage, se rapproche beaucoup de votre poids et de votre taille. Et un jour

vient où vous vous félicitez de toutes ces combines. C'est lorsque, après avoir barboté la caisse du Crédit Italien et doublé vos complices, vous réfléchissez que vous ne serez vraiment tranquille et en sûreté qu'après avoir fait mettre ces complices en cabane. Mais il faut qu'ils y soient pour un bout de temps et une simple dénonciation, même suivie d'effet, n'est pas garante d'une sécurité perpétuelle. Il faut qu'ils tombent pour une inculpation sérieuse : un meurtre, par exemple. Il se trouve justement que ces deux-là n'ont qu'une envie : liquider le faux frère. Alors, vous faites entrer Daragno en scène. Je ne suis pas dans votre peau et j'ignore comment vous vous débrouillez, mais vous parvenez à faire savoir aux méchants assoiffés de sang que, tel jour à telle heure, vous rôderez aux alentours du 25 de la rue Géraudie, à Châtillon. Vous donnez rendez-vous au même endroit à Daragno. Le meurtre a lieu et comme les flics, prévenus, y assistent, les meurtriers sont faits marron sur le tas. La voie est libre, la vengeance des complices remise aux calendes et vous pouvez filer... Et, maintenant, cessons de vous mettre à contribution. Le tordu qui a monté ce coup, vous savez déjà qu'il ressemble à la vedette de ciné Pierre Barry. Vous pouvez considérer qu'il est de même stature que le malheureux Daragno. Et avant l'attaque du Crédit Italien, il s'appelait Lucien Maunier. Vous récolterez peut-être d'autres tuyaux ou indices dans l'appartement qu'il occupait, rue d'Alésia.

Rue d'Alésia, je ne sais pas ce que les bourres[20] trouvèrent, mais deux semaines plus tard ils arrêtaient Maunier. Ce jour-là, il ne ressemblait pas à Pierre Barry mais à Michel Simon[21] s'étant affublé d'une fausse barbe. Après avoir fait pas mal de chichis, il consentit à confirmer la théorie que j'avais mise sur pied.

20. Bourres : policiers en civil (familier).
21. Michel Simon : acteur célèbre du cinéma d'après-guerre.

445 Les journaux qui avaient commencé par traîner Daragno dans la boue renversèrent la vapeur et couvrirent le malheureux d'éloges. Il était déjà recouvert de terre et, personnellement, je ne voyais pas quel bien cela pouvait faire à son pauvre cadavre, mais sa sœur parut satisfaite. Elle m'embrassa un 450 certain nombre de fois sur les deux joues et le jour même nous déjeunâmes ensemble. Et le plus beau, peut-être pour me consoler de n'avoir pas touché d'honoraires, ce fut moi qui réglai l'addition. Puis, nous nous revîmes de-ci, de-là, en copains-copains, jusqu'au soir… eh bien, jusqu'au soir où je 455 m'aperçus qu'elle avait un faux air de Martine Carol[22].

Léo Malet, *Faux frère*, Éd. Robert Laffont, coll. « Bouquins », avec l'aimable autorisation de Jacques Malet.

Guy Marchand dans le rôle de Nestor Burma.

22. Martine Carol : actrice célèbre du cinéma d'après-guerre.

Repérer et analyser

Première lecture

1 Quelles sont vos impressions après votre première lecture ? Quelle remarque faites-vous notamment sur le niveau de langage ?

Le statut du narrateur et le point de vue

2 **a.** À quelle personne et selon quel point de vue l'histoire est-elle racontée ? Justifiez votre réponse par des références précises.
b. Quel est l'effet produit sur le lecteur ?

3 Quelle est l'identité du narrateur ? Quel rôle joue-t-il dans le cadre de cette nouvelle policière (coupable, victime, enquêteur, suspect...) ? Relevez des termes précis à l'appui de votre réponse.

Le cadre spatio-temporel

4 À quelle époque l'action se déroule-t-elle ? Dans quels lieux successifs ? Appuyez-vous sur des indices précis.

Les ingrédients du récit policier

5 **a.** Quel est le méfait commis ? Qui est la victime ?
b. Par qui l'enquête est-elle déclenchée ?
c. Que découvre successivement Nestor Burma à partir de sa visite chez Pierre Barry ?
d. Qui est le réel coupable ? Quel est son mobile ?

Les étapes du récit

6 Retrouvez les étapes du récit policier telles que vous les avez déjà rencontrées dans l'étude de la nouvelle précédente : présentation de l'énigme, premières hypothèses, enquête, résolution et explication finale.

7 « Toutes ces ressemblances me firent penser à la petite fermière qu'on voit sur les boîtes de camembert, tenant dans sa main une autre boîte de camembert sur laquelle une autre petite fermière, etc., et ainsi de suite jusqu'à l'infini. » (l. 262 à 266)
a. Dans l'histoire, qui ressemble à qui ?
b. En quoi ces ressemblances structurent-elles le récit ?

La figure de l'enquêteur

Le privé est l'enquêteur typique du roman noir. Contrairement à ses prédécesseurs, c'est un professionnel mais il n'appartient pas à la police officielle. Dur à cuire et pas vraiment fortuné, il est en général amateur d'alcool et de femmes ; il n'hésite pas à entrer dans l'action.

8 **a.** Relevez les informations concernant les caractéristiques physiques du personnage, les signes distinctifs et les caractéristiques morales.

b. « L'homme qui met le mystère KO » est la devise de Burma. Sur quoi sa méthode de travail (raisonnement, action, intuition…) repose-t-elle ?

9 **a.** Quelle relation Burma entretient-il avec la police officielle en général, et avec Faroux, en particulier ?

b. Quel est son comportement à l'égard des femmes ?

10 Caractérisez le ton du personnage tout au long du récit en donnant des exemples précis.

11 Comparez le personnage de Burma à celui de Sherlock Holmes : en quoi se ressemblent-ils ? En quoi diffèrent-ils ?

Les niveaux de langage

Rompant avec le style d'écriture du récit policier traditionnel, le roman noir joue sur les différents niveaux de langage (langage argotique et familier, langage courant et soutenu) et sur les marques d'oralité (hésitations, interjections, paroles interrompues…).

12 **a.** Quels sont les différents niveaux de langage ? Quel est le niveau de langage dominant ? Justifiez vos réponses en donnant des exemples précis.

b. Quelles sont selon vous les raisons qui motivent l'emploi du langage familier et argotique ? Quel est l'effet produit sur le lecteur ?

Le titre et la visée

13 Justifiez le titre de la nouvelle en proposant plusieurs interprétations.

14 **a.** Quelles valeurs le personnage de Léo Malet incarne-t-il ?

b. Quelle vision du monde cette nouvelle offre-t-elle ?

15 Quelles sont les différentes visées de cette nouvelle ? Appuyez-vous sur l'ensemble de vos réponses.

Écrire

Écrire une lettre pour informer et décrire

16 Louisette Daragno écrit à une amie qu'elle est allée à l'agence « Fiat Lux » (nom de l'agence dirigée par Nestor Burma) pour confier au détective privé Nestor Burma la mission d'éclaircir les circonstances de la mort de son frère (voir le texte, l. 149 à 192).
La lettre présentera les caractéristiques appropriées (mise en page, date, signature...). Elle rendra compte du dialogue (paroles à rapporter en discours direct ou indirect) et des sentiments éprouvés par la jeune femme. Elle comportera nécessairement un portrait de Nestor Burma.

Étudier la langue

L'argot

L'argot est la langue de la rue et plus spécialement celle des malfaiteurs, de la pègre et du milieu.
Il entre dans la littérature au XIXe siècle sous la plume de Balzac, Eugène Sue et Victor Hugo mais il reste encore en marge. C'est le roman noir américain qui l'introduit pour traduire la réalité sociale.
En France, Léo Malet puis Albert Simonin (*Touchez pas au grisbi*, 1953), Le Breton (*Du rififi chez les hommes*, 1953), José Giovanni (*Le Trou*, 1957), Frédéric Dard (*San Antonio*), Jean-Pierre Manchette (*Le Petit Bleu de la côte Ouest*, 1976) et bien d'autres se serviront de cette langue savoureuse et colorée pour sortir l'écriture du récit policier de son style un peu trop aseptisé.

17 Donnez les synonymes en langage courant de « frangine », « les bacchantes », « poulet ». Récrivez dans un niveau de langage courant : « cela faisait une paye » (l. 4) ; « j'ai deviné que vous veniez vous payer ma fiole » (l. 53-54) ; « étant allés là-bas pour des haricots... » (l. 75) ; « cueillir les deux lascars » (l. 123-124).

18 Lisez le texte suivant.

« Pensant avoir mal compris, tout le monde s'était tu.
On n'entendit plus soudain que le bruit mou de la houppette avec laquelle Josy, la môme de Riton, se tamponnait le visage. Machinalement, la mère Bouche avait mis en veilleuse la rampe du percolateur qui sifflait un peu.

– Ton Riton, je m'en vais le fourrer, répéta le petit Frédo en se levant.
Devant le zinc, personne ne mouftait.
Chacun pouvait en penser ce qu'il voulait, de cette provocation. À moi, ça rappelait la lecture du verdict au procès de Paulo-le-Pâle, l'instant où le président avait annoncé que Paulo y allait du cigare. Pour le petit Frédo, c'était du kif, sauf qu'il venait lui-même de prononcer sa condamnation. En supposant même qu'il rencontre pas Riton, ou bien qu'il mesure à temps la connerie de son attitude, rien que pour avoir lâché cette vanne, il lui restait vingt-quatre heures à vivre, au mieux. C'était le coup sûr, catalogué ! »

Albert Simonin, *Touchez pas au grisbi*, Série Noire, n° 148, Éd. Gallimard.

19 Relevez les termes argotiques, cherchez leur définition à l'aide d'un dictionnaire d'argot. Repérez les tournures de la langue parlée (construction de phrases).

20 Récrivez ce texte dans un niveau de langage courant. Comparez les deux versions.

Lire

Le commissaire Maigret

– « Vous êtes trop aimable. J'adore marcher, surtout quand je dois réfléchir…
– Que pensez-vous de cette histoire de chien jaune ?... Je confesse que c'est peut-être ce qui me déroute le plus… Ça et le Pernod empoisonné !... Car enfin… »
Mais Maigret cherchait son chapeau et son manteau autour de lui. Le maire ne put que pousser le bouton électrique.
« Les vêtements du commissaire, Delphin ! »
Le silence fut si absolu qu'on entendit le bruit sourd, scandé, du ressac sur les rochers servant de base à la villa.
« Vous ne voulez vraiment pas ma voiture ?...
– Vraiment… »
Il restait dans l'atmosphère comme des lambeaux de gêne qui ressemblaient aux lambeaux de fumée de tabac s'étirant autour des lampes.

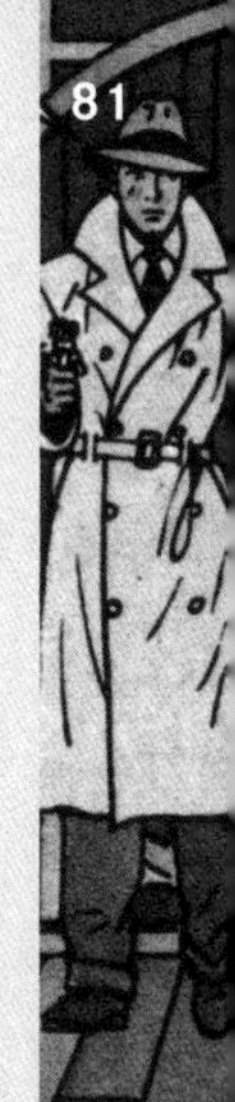

« Je me demande ce que va être demain l'état d'esprit de la population… Si la mer est belle, du moins aurons-nous les pêcheurs en moins dans les rues, car ils en profiteront pour aller poser leurs casiers… »
Maigret prit son manteau des mains du maître d'hôtel, tendit sa grosse main. Le maire avait encore des questions à poser mais il hésitait, à cause de la présence du domestique.
« Combien de temps croyez-vous qu'il faille désormais pour… »
L'horloge marquait une heure du matin.
« Ce soir, j'espère que tout sera fini…
– Si vite ?... Malgré ce que vous m'avez dit tout à l'heure ?… Dans ce cas, vous comptez sur Goyard ?... À moins que… »
Il était trop tard. Maigret s'engageait dans l'escalier. Le maire cherchait une dernière phrase à prononcer. Il ne trouvait rien qui traduisît son sentiment.
« Je suis confus de vous laisser rentrer à pied… par ces chemins… »
La porte se referma. Maigret était sur la route avec, au-dessus de sa tête, un beau ciel aux nuages lourds qui jouaient à passer au plus vite devant la lune.
L'air était vif. Le vent venait du large, sentait le goémon dont on devinait les gros tas noirs sur le sable de la plage.
Le commissaire marcha lentement, les mains dans les poches, la pipe aux dents. Il vit de loin, en se retournant, les lumières s'éteindre dans la bibliothèque, puis d'autres qui s'allumaient au second étage où les rideaux les étouffèrent.
Il ne prit pas à travers la ville, mais longea la côte, comme le douanier l'avait fait, s'arrêta un instant à l'angle où l'homme avait été blessé. Tout était calme. Un réverbère, de loin en loin. Concarneau dormait.

21 Quel est le statut du narrateur dans cet extrait ? Quelles sont les caractéristiques du commissaire Maigret ? Comment se comporte-t-il ? En quoi le cadre de l'action crée-t-il une atmosphère particulière ? Quelles différences pouvez-vous établir entre Maigret et Burma ?

Énigme à résoudre

Crime Circus

de Alain Demouzon

*Né en 1945, Alain Demouzon cultive plutôt la diversité et semble assez inclassable. Il est auteur de nombreux romans policiers et affectionne les anti-héros, grisâtres et paumés, tel le détective Nicolas Placard (*Un coup pourri*, 1977). On retrouve chez lui les décors et les personnages du néo-polar mais sans extrême. Ses œuvres les plus connues sont* Quidam *(1980) et* Bungalow *(1981).*

La nouvelle Crime Circus *a été écrite par Alain Demouzon dans le cadre d'une commande pour une revue d'histoires à énigmes. Elle met en scène le personnage du commissaire Bouclard.*

PROCÉDURE

Voici une énigme policière à résoudre vous-même.

À vrai dire, vous n'êtes pas seul, puisque le commissaire Bouclard et son adjoint, l'inspecteur Letroc, vous ont précédé sur les lieux du crime.

Oh, de bien peu !... Vous n'êtes qu'un témoin, un badaud, un curieux caché dans la foule ; mais vous en savez autant qu'eux. Ni plus, ni moins. Et il y a, au cœur de cette énigme, les moyens de trouver la solution.

Comment mener l'enquête ?

La procédure est simple : se munir du traditionnel petit carnet avec son stylo et d'un dictionnaire. Et lire. Attentivement. Très attentivement. On vous l'a dit, la vérité est dissimulée dans le texte ! Sans tricherie. Mais… prudence et vigilance !... Il vous faudra faire preuve de subtilité, de perspicacité, de flair. Notez les indices, les noms de suspects ou de victimes, les adresses, les trajets... Remettez dans le bon ordre ce qui arrive pêle-mêle. Prenez garde aux jeux de mots, aux rébus cachés, aux suites logiques : cette énigme est un jeu, et toutes les astuces sont possibles. Mais, vous ne manquez pas de petites cellules grises, et savez vous en servir. [...]

Crime Circus

C'était une image de la mort que le commissaire Bouclard connaissait bien. Celle du meurtre hâtif, improvisé, presque bâclé dans la violence, la peur ou la folie. Difficile à déchiffrer, la plupart du temps, car organisé par le hasard. On était
5 loin du crime parfait, si rare et si minutieux que le commissaire n'en avait connu jusqu'alors que deux ou trois exemples, ayant d'ailleurs abouti à l'arrestation rapide du meurtrier, en raison même de cette recherche de perfection, révélatrice d'un certain type d'assassin, et de ce fait trop facile à découvrir
10 parmi les suspects possibles.

Mais là, rien ne semblait avoir été concocté avec soin. La porte de la roulotte était ouverte à tous les vents, les rideaux voltigeaient aux fenêtres et la lampe, restée allumée sous son abat-jour de tôle émaillée, éclairait crûment le lieu du carnage.
15 – C'est le grand Cuchillo, expliqua le directeur du cirque Alberti. C'était le meilleur lanceur de poignards que j'aie jamais vu. D'une précision phénoménale !

– Il ne s'est pas raté, en effet ! ironisa amèrement le commissaire.

20 Le grand Cuchillo était effondré dans un fauteuil de rotin, bras ballants jusqu'au sol, jambes étalées et tête basculée sur la poitrine. Il était en costume de piste (mexicain à paillettes), et un de ses fameux poignards était enfoncé dans sa poitrine, à hauteur du cœur.

25 Le directeur tortilla les pointes de sa moustache avec un air effaré.

Henri de Toulouse-Lautrec, *Le Cirque*, 1899.

– Vous ne croyez tout de même pas à un suicide ?

– À quelle heure est-ce arrivé ? demanda le commissaire, sans faire mine d'avoir entendu la question du directeur.

– Heu… je ne sais pas… Ce n'est pas le médecin légiste qui décide de l'heure de la mort ?

– Le toubib ne décide rien. Il constate. Il donne une marge, une fourchette, un laps de temps plus ou moins vague, plus ou moins long, rarement précis… En tout cas, ici, cette mort est récente, vous le savez aussi bien que moi !… Pourquoi votre Contillo est-il déguisé ?

– Cuchillo, rectifia Alberti… Il est en costume de scène.

– Je me doute bien qu'il n'allait pas à un bal masqué, commenta le commissaire, tout en se tournant vers son adjoint Letroc.

– J'ai trouvé ça en bas de l'escalier de la roulotte, expliqua l'inspecteur.

C'était une cigarette, une Gitane filtre à peine fumée et nettement maculée de rouge à lèvres. Bouclard eut l'air de la regarder distraitement.

– Le grand Conchico a-t-il été tué avant ou après son numéro ? demanda-t-il au directeur. Venait-il de mettre son costume ou était-il sur le point de l'enlever ?

Au-delà des tentes, un fauve poussa un rugissement étouffé, comme venant d'une savane lointaine.

– Cuchillo ! insista le directeur. C'était avant qu'il n'entre en piste. C'est d'ailleurs comme ça que nous avons découvert sa mort... En venant le chercher.

– C'est qui nous ?

– Sa partenaire et moi-même. Je suis le M. Loyal du spectacle, et Rosita était à mes côtés en coulisse. Le numéro des otaries se terminait et, juste après, c'était Myriam, l'écuyère, immédiatement avant Cuchillo... J'exige que tous mes artistes soient en coulisse au cours des deux numéros qui les précèdent !

– Conchito n'était pas là ?

– Non. J'ai voulu que Rosita aille chercher Cuchillo, mais elle ne voulait pas.

– Pourquoi ?

– Elle venait de se disputer avec lui en début de soirée. Je voulais qu'ils fassent la paix et j'ai emmené Rosita avec moi jusqu'à la roulotte. C'est comme ça que nous avons découvert le drame.

– Et alors, qu'avez-vous fait ?

– J'ai dit à Rosita de vous appeler et moi je suis allé demander à Chuck de remplacer Cuchillo au pied levé... Même dans les cas graves, le spectacle doit continuer. C'est la loi du cirque.

– Qui est Chuck ?

– Un fil-de-fériste. Il passe juste avant les otaries, mais comme il fait son numéro en clown, il est plus susceptible qu'un autre de faire le bouche-trou. Il a bien sûr quelques gags en réserve pour ce genre de situation, ce qu'on appelle des « entrées comiques ».

– Et là, il a donc été faire le « comique »...

– Malheureusement non, car il était déjà démaquillé et changé. Alors, nous avons dû sauter un numéro. Heureusement, le magicien était prêt.

Le commissaire hocha la tête.

– Dites-moi, c'était pourquoi cette dispute entre... Machin et Rosita ?

Le directeur poussa un soupir.

– Oh, des histoires de cœur, comme bien souvent. Cuchillo voyait d'un mauvais œil le flirt de sa partenaire avec Chuck. Et Rosita avait un indiscutable dépit de voir Cuchillo s'intéresser de trop près à Myriam, l'écuyère !... laquelle supportait mal de voir Cuchillo continuer malgré tout avec Rosita. Vous savez, dans le cirque, nous sommes tous plus ou moins mari et femme, frère et sœur, ami et amant, et partenaires sur la piste. Cela facilite souvent les rapports... mais les complique aussi pas mal.

Bouclard continua à hocher la tête. Du regard, il inspecta soigneusement la roulotte. Alberti avait eu la sagesse d'en interdire l'accès dès la découverte du meurtre. Et ni lui, ni Rosita ni personne, n'y avait pénétré avant l'arrivée de la police.

Sur la table ronde garnie d'une cotonnade imprimée, cinq poignards attendaient. Le sixième était le seul à avoir trouvé sa cible. À côté des poignards, un cendrier contenait un mégot. La marque « Gauloises » était lisible sous le liséré de rouge à lèvres. Un paquet de Gitanes filtre était posé à côté du cendrier et, près du fauteuil du cadavre, Bouclard trouva une cigarette filtre de cette marque, qui s'était consumée à terre.

Sur le vieux tapis posé entre la table et l'entrée de la roulotte, le commissaire trouva quelques copeaux de bois très minces.

– C'est ce qu'on met sur la piste, expliqua Alberti.

– Qui a vu votre « coutelier » en dernier... vivant... ? demanda le commissaire.

– Un garçon de piste, intervint Letroc, ravi de montrer qu'il n'avait pas perdu son temps. C'était pendant le numéro de fil-de-fériste. Il a vu Rosita quitter la roulotte, tandis que Cuchillo l'injuriait par la fenêtre. Ce sont d'ailleurs les cris qui ont attiré son attention. Il était sous l'avant-tente du chapiteau et il a vu Rosita rejoindre M. Alberti et les autres artistes.

– Bien sûr, il n'a vu personne d'autre se rendre chez le lanceur de poignards ?

– Si, Myriam, l'écuyère. Mais à ce moment-là, il devait aller démonter le matériel de funambule de Chuck... Et personne d'autre n'a voulu avouer s'être rendu chez Cuchillo dans la soirée, à part les deux femmes.

– Rosita fume ?

– Pas vraiment, répondit Alberti, perplexe. Une de temps en temps. Chez nous, ceux qui ont besoin de muscles ou d'adresse n'ont pas intérêt à fumer. Cuchillo fumait très peu, lui aussi.

– Et les autres ?

– Quels autres ?

– Chuck, Myriam, le dompteur d'otaries et le magicien ?

– Je crois que Chuck aime bien en griller une en fin de numéro, à condition qu'on lui offre. Myriam...

– ... fume des Gauloises, quand elle est énervée, révéla Letroc. Et le dompteur d'otaries a horreur du tabac et le magicien ne s'accorde qu'une pipe le dimanche... Alors, patron, on embarque l'écuyère ?

Bouclard se gratta l'arête du nez.

– Pas si simple, Letroc ! Ne va pas trop vite... Dis-moi, si tu vois quelqu'un lire unc revue allemande, qu'est-ce que tu en conclus ?

– Bah... que c'est un Allemand !

– Eh bien, tu as tort ! Car tu vas trop vite. La seule chose que tu puisses dire c'est que tu te trouves en face de quelqu'un qui lit l'allemand, ou qui fait semblant de lire l'allemand. Bien sûr, tu peux bien le soupçonner d'être allemand, mais cela risque de t'égarer.

Letroc se passa une main en râteau dans les cheveux et poussa un profond soupir.

– Alors, demanda le commissaire, qui a fait le coup ?

– Bof… avec tous ces Italiens et ces Espagnols, je ne vois aucun Allemand !

Alain Demouzon, *Les Enquêtes du commissaire Bouclard*

À vous de jouer

• Qui est le meurtrier de Cuchillo ?

Aidez-vous des indices et des conseils du commissaire Bouclard pour résoudre l'énigme.

Deuxième partie

Du récit à énigme au néo-polar

Meurtre II, Jacques Monory (1968).

Nouvelle 1

Le fugitif

de Boileau-Narcejac

Boileau et Narcejac en 1962.

*Pierre Boileau et Thomas Narcejac constituent l'un des tandems les plus connus et les plus engagés du roman criminel. Ils ont en effet signé des romans révolutionnaires dans l'histoire du genre policier. L'image du détective (officiel ou privé) y est gommée au profit de l'étude psychologique à laquelle vient s'ajouter une tension grandissante puisque c'est souvent la victime elle-même qui mène l'enquête. Né en 1906, Pierre Boileau débute seul en 1934. Il est alors le spécialiste des énigmes en chambres closes (*Chambres closes *est le titre d'un de ses premiers romans). Il rencontre en 1948 Thomas Narcejac (pseudonyme de Pierre Ayraud) qui, de son côté, a déjà écrit des pastiches d'Arsène Lupin, d'Hercule Poirot, de Sherlock Holmes. Les deux hommes décident de s'associer et publient* Celle qui n'était plus *en 1952, qui deviendra* Les Diaboliques *au cinéma. L'un à Nantes, l'autre à Paris, ils écrivent à partir de 1953, ensemble, une vingtaine de romans (*Sueurs froides, Les Louves, D'entre les morts, Et mon tout est un homme...*), dont quelques-uns pour la jeunesse (*Sans-Atout et le cheval fantôme, Les pistolets de Sans-Atout, L'invisible agresseur...*), ainsi que des essais théoriques sur le roman policier et deux recueils de nouvelles (*Le train bleu s'arrête treize fois *en 1966 et* Manigances *en 1971).* Le fugitif *est tiré du premier recueil : ce récit est exemplaire de l'évolution du genre policier voulu par les deux auteurs.*

L'homme dormait, à genoux, et son buste oscillait[1] lentement, au rythme de sa respiration. Le cric était engagé sous la roue avant droite, dont le pneu était à plat. Par terre, il y avait la manivelle que l'homme, terrassé par la fatigue, avait brusquement lâchée. La nuit était claire. On apercevait, à gauche de la route, des crêtes montagneuses. Des grillons chantaient, à l'infini.

En apercevant la 2 CV, Michel avait, instinctivement, ralenti. Cette auto, à une pareille heure, à deux pas de son campement… Il fit quelques prudentes enjambées, et ce fut alors qu'il découvrit l'homme. Il se pencha, le contempla, longuement. L'inconnu pouvait avoir quarante ans ; autant que Michel put en juger, il devait être grand ; les épaules étaient larges, bien moulées dans un léger chandail à col roulé ; les traits étaient durs et creusés ; le front, haut ; une barbe de deux jours envahissait les joues. Mais ce qui paraissait absolument inattendu, c'étaient les lunettes, des lunettes à monture métallique, comme personne n'en porte plus, et dont les verres épais pour myope déformaient les paupières closes. Michel hésita un instant, sourit en se rappelant le temps, pas tellement éloigné, du scoutisme et de sa BA[2] quotidienne.

– Besoin de quelque chose ?

Pas de réponse.

– Hé !… Monsieur !

Michel n'insista pas. Il ramassa la manivelle, pesa de tout son poids sur le dernier écrou. Puis il retira la roue, attrapa la roue de secours, la mit en place, très vite, avec infiniment d'adresse, s'essuya les mains, se retourna.

L'homme était maintenant debout. Il avait reculé de quelques pas, silencieusement. Il braquait sur Michel un gros pistolet.

– Merci, dit l'homme. Tu tombes bien.

1. Oscillait : balançait.

2. BA : bonne action.

Michel était si surpris qu'il ne songeait même pas à avoir peur.

– La roue, reprit l'homme, avec un très léger accent. La
35 roue... dans le fossé... derrière.

Et Michel ramassa la roue, la poussa dans le vide, où elle ricocha, de pin en pin.

– Quel âge as-tu ? demanda l'homme.

– Dix-huit ans.

40 – Qu'est-ce que tu fabriquais, dehors, à cette heure ?

– Je campe, là.

– Et quand tu m'as vu, en panne, tu t'es tout de suite mis au travail... Brave petit ! Tu aimes à rendre service, hein ?

– Quand je peux.

45 L'homme s'avança.

– Alors, tu vas encore servir à quelque chose... Vide tes poches.

Michel hésita une seconde, puis déposa sur le capot un harmonica, un mouchoir, un couteau, un paquet de cigarettes
50 tout cabossé, de la ficelle.

– Ouvre le couteau, dit l'inconnu.

– Mais...

– Je te préviens. Je n'aime pas dire les choses deux fois.

Michel ouvrit le couteau, le reposa sur le capot.

55 – Maintenant, écarte-toi !

L'homme vint près de la voiture, coupa un morceau de ficelle sans cesser de surveiller Michel ; puis, passant la ficelle dans l'anneau fixé à la crosse de son arme, il fit une sorte de dragonne[3] qu'il attacha à son poignet.

60 – Tu te demandes pourquoi, hein ?

– Non, dit Michel, qui reprenait lentement son équilibre. Vous avez peur de vous rendormir... et de lâcher votre joujou.

3. Dragonne : cordon à la poignée d'un parapluie, qu'on passe au bras.

– Exactement. J'ai peur… C'est pourquoi, au premier geste suspect, je tire.

65 Il referma le couteau et le fourra dans sa poche, puis, désignant le capot.

– Tu peux reprendre le reste. C'est pas dangereux… Et maintenant, monte, petit.

Michel, docile, marcha vers l'arrière de la 2 CV.

70 – Non… C'est moi le passager… Et c'est toi qui conduis… Ne me dis pas que tu ne sais pas ; après ce que tu viens de faire… Et pas trop vite. J'ai tout le temps.

Ils s'installèrent. Michel au volant ; l'homme, juste derrière lui.

75 – Tout droit. Je te dirai quand il faudra tourner.

La voiture démarra. L'homme, instinctivement, s'était renversé sur la banquette, mais il se redressa aussitôt.

– Parle !

– Quoi ?

80 – Je te dis de parler.

– Qu'est-ce que vous voulez que je dise ?

– N'importe quoi… Je te demande seulement de parler fort… Parle-moi de toi, tiens !

Dans le rétroviseur, Michel voyait le visage de l'homme, 85 les deux petits points miroitants de ses lunettes.

– Je m'appelle Michel Mauroy… J'ai un frère, quinze ans… et une sœur, sept ans… Je suis étudiant… Je fais de l'auto-stop pendant mes vacances… La semaine dernière, j'étais à Menton… puis je suis revenu à Toulon… puis on m'a ramené 90 à Saint-Tropez… et de là à Draguignan… Je dois rentrer chez moi dans une quinzaine… Je prépare les Travaux publics… C'est dur, mais c'est intéressant… J'aime beaucoup les maths… surtout la géométrie…

Michel regarda le rétroviseur. Il lui sembla que la silhouette 95 de l'homme s'était un peu tassée.

– Tout en me promenant, je révise mes cours… Ce n'est pas des blagues… Je fais ça de tête… Vous voulez que je vous récite la théorie de Dandelin ?... (Nouveau coup d'œil au rétroviseur. L'homme n'avait pas bougé)…

100 « Tout plan parallèle à un plan tangent à un cône de révolution coupe le cône suivant une parabole. Le foyer est le point de contact avec le plan sécant de la sphère inscrite dans le cône et tangente à ce plan. La directrice est l'intersection du plan du parallèle de contact de la sphère et du cône avec le plan 105 sécant… »

Ils croisèrent une voiture. À la lumière des phares, Michel put, plus distinctement, observer l'homme. Il était maintenant affaissé contre la vitre, la bouche pendant un peu, comme celle d'un mort.

110 « Le lieu des sommets des cônes de révolution contenant une parabole donnée est la parabole focale de celle-ci. Cette courbe est aussi l'enveloppe des axes des cônes considérés… »

La 2 CV virait dans des lacets étroits, ballottant l'homme, affreusement. Michel ralentit, ralentit encore, s'arrêta.

115 « Toute section plane d'un cylindre de révolution est une ellipse dont le petit axe est égal au diamètre du cylindre… »

Il tendit la main vers la poignée de la portière. L'homme ouvrit les yeux.

– Eh bien, petit !

120 Michel embraya. L'homme s'était appuyé en avant, sa tête tout près de celle de Michel.

– Crois-moi. Je tiendrai le coup… Seulement, il vaut mieux que ce soit moi qui parle… C'est ma cinquième nuit sans dormir… Tu sais ce que ça veut dire, cinq nuits sans dormir ?... 125 Non… Personne ne le sait… Il n'y a rien qui ressemble à cela… Il paraît qu'on en meurt. Si je te disais que j'ai failli me rendre… simplement pour avoir le droit de fermer les yeux.

Il parlait d'une voix monotone, prononçant certains mots avec un bizarre accent, qui ne ressemblait à aucun de ceux que connaissait Michel, et son débit était coupé de brefs silences. Parfois, il bredouillait un peu, comme quelqu'un qui aurait bu, ou peut-être comme un drogué.

– Mais ils m'auraient tué, tu comprends... On ne peut plus me laisser vivre... Ils sont tous après moi... Tu ne lis pas les journaux, petit ?... Non, tu n'as pas une tête à lire les journaux... Et puis, vos journaux n'ont pas dit grand-chose...

Il appuya son bras gauche sur le dossier du siège avant et posa le menton sur son poignet. Le mouvement de sa mâchoire agitait sa tête.

– Ça s'est passé si loin... J'ai dû les tuer tous les trois... le troisième, sa moto a continué toute seule... Il m'a poursuivi pendant deux cents mètres et pourtant il était mort... À la fin, il est sorti d'un virage, et il a été projeté en l'air... les bras en croix... comme un plongeur...

Sa parole était étrangement paisible. Ses gros yeux, un peu troubles, semblaient regarder très loin, au-delà du pare-brise.

– Maintenant, ils m'abattront à vue... Je ne peux plus m'expliquer... C'est trop tard. Tu comprends, petit... tout s'enchaîne tellement vite... On n'a rien voulu... On n'a rien voulu... Et puis, tout à coup, on les a tous après soi... même les chiens... Pourtant, je n'ai rien fait aux chiens... Ils ont déjà failli m'avoir... Les hommes, ça m'est égal de leur tirer dessus. Mais les bêtes, ce n'est pas la même chose... Chez moi, dans mon pays, c'est plein de moutons...

Sa voix mua, bizarrement.

– Tu ne peux pas imaginer... Tous ces moutons, c'est chaud comme le vent du Sud... On marche au milieu... On est porté... C'est comme la mer... J'avais deux chiens aussi. C'est loin... C'est loin... On se battait ensemble. On s'amusait, quoi !

Machinalement, l'homme ramena son bras droit sur le dossier. Le pistolet pendait au bout de la ficelle, se balançait au rythme de la marche.

– Je n'étais pas méchant… C'est après… Tout ce qu'ils m'ont obligé à faire !…

Il sursauta, secoua la tête, violemment.

– Bon Dieu ! Je dors encore… Qu'est-ce que je disais ?… Réponds ! Tu m'écoutes, hein, pour tout leur répéter.

Il se pencha par-dessus le dossier, consulta, le front tout plissé par l'effort, le compteur kilométrique.

– Dans une heure, nous y serons… On doit venir me chercher en camion, et on me fera passer en Italie… Là-bas, on me cachera. Tout est arrangé. J'ai eu assez de mal.

– On fouillera le camion, à la frontière, dit Michel.

– Non !… Ah ! Tu es bien comme les autres, toi aussi… Tu souhaites qu'on me prenne… tu me détestes, hein ?… C'est ce que je t'ai raconté… Qu'est-ce que j'ai raconté ?…

– Que vous aviez descendu trois bonshommes.

– Et puis ?

– C'est tout.

– Je ne t'ai pas parlé de celui d'hier ?… Celui qui avait une Lancia ?

– Non.

– J'ai dû l'assommer. Il me résistait… Après, j'ai planqué la voiture… Tu comprends ?… En ce moment, on me recherche à bord d'une Lancia.

– Et… s'il n'avait pas résisté ? dit Michel.

– Est-ce que je sais ?… Ne pose pas de questions, petit.

Les yeux de l'homme se fermèrent, mais il les rouvrit aussitôt. Il tira de sa poche une carte en mauvais état, alluma une lampe électrique, suivit, de l'ongle, un tracé compliqué. Mais les lignes se brouillaient, se mêlaient aux cassures de la carte, et il la remit dans sa poche. Comme il relevait les yeux, il aperçut, au bout de la route, les feux d'une station-service.

– Tu vas t'arrêter… Tu en prendras cinq litres… Ça suffira… Et puis…

L'homme prit, à côté de lui, une bouteille thermos, la posa sur le siège avant.

– Tu iras la remplir à la fontaine… Mais ne fais pas l'imbé-
200 cile, hein ?… Sans ça, c'est le type qui paiera pour toi… Tu m'as compris ?

Il heurta la nuque de Michel du canon de son arme. Michel se rangea devant les pompes, descendit. Derrière une fenêtre, un chien aboya. Le pompiste apparut ; il était jovial[4] et sale ;
205 sa voix chantait. Il désigna la fenêtre.

– Oh ! Il fait du bruit, comme ça, mais il n'est pas méchant… Combien je vous en mets ?

Michel aperçut la fontaine. Elle était juste au centre du bâtiment : l'homme ne le perdrait pas de vue.

210 Il alla emplir la bouteille. Il sentait le canon de l'arme pointé sur lui, comme on sent un regard.

– Belle nuit, lui cria le pompiste. Et vous allez loin, comme ça ?

– Menton.

215 – Menton ?… Hé bé, vous prenez le chemin des écoliers !

Machinalement, le pompiste leva les yeux vers la vitre, distingua confusément la forme tassée dans l'angle de la voiture.

– Oh ! pardon.

220 Il ajouta avec un rire entendu :

– Je me disais aussi !…

La thermos était pleine et débordait. Un instant encore, Michel attendit l'impossible miracle, puis il fit demi-tour, en revissant son bouchon.

225 – Je vous dois combien ?

Le pompiste compta sa monnaie, tout en bâillant.

4. Jovial : joyeux.

– À cette heure-ci, vous ne rencontrerez pas grand monde… Les gendarmes, peut-être.

– Pourquoi, les gendarmes ?

230 – À cause de l'homme à la Lancia… Vous n'écoutez donc pas la radio ?

– Non. Qu'est-ce qu'il a fait ?

– Oh ! un pastis terrible !… Mais ce serait trop long à vous raconter… Allez, bonne route !

235 Les feux de la station s'éloignèrent, disparurent. À nouveau, ce fut la route déserte et la nuit.

– Qu'est-ce que je ferai, si on tombe sur un barrage ? demanda Michel.

– T'occupe pas. Il n'y aura pas de barrage… Pas où je vais 240 te faire passer.

Ils tournèrent à trois reprises, dans des chemins étroits, et des branches griffaient la capote. Puis ils retrouvèrent une route, rugueuse[5], et l'auto se mit à tanguer.

– Arrête-toi, dit l'homme.

245 Michel freina brutalement. On n'entendait plus que le moteur au ralenti et le chant ininterrompu des grillons.

– Descends, dit l'homme… Allons, n'aie pas peur, imbécile. Tu sais bien que j'ai besoin de toi.

Michel mit pied à terre, et l'homme sortit à son tour, sa 250 bouteille thermos dans la main gauche. À peine les pieds à terre, il eut une sorte d'étourdissement rapide, dut se rattraper à la voiture.

– Bon Dieu ! Ce que je peux être fatigué !

Il s'adossa solidement au capot, déboucha la bouteille.

255 – Éloigne-toi… Là… encore… Et ne bouge pas, surtout… sinon, je tire.

L'homme lâcha son pistolet, qui pendit au bout de la ficelle, puis retira soigneusement ses lunettes, qu'il glissa dans une

5. Rugueuse : dont la surface est irrégulière.

poche. Alors, il s'arrosa copieusement la tête avec l'eau fraîche
60 de la thermos.

Ce fut à cet instant que Michel, inquiet, se retourna légèrement. Là-bas, l'homme s'ébrouait[6]. C'était le miracle attendu. Sur la pointe des pieds, Michel fit un pas, un deuxième, un troisième, prit son élan, se mit à courir.

65 – Arrête !

L'homme s'était tourné dans la direction du bruit ; il fouillait vainement la nuit de ses yeux infirmes ; en même temps, il cherchait ses lunettes. Brusquement, la silhouette brouillée devint claire, retrouva ses contours précis. L'homme visa, appuya sur
70 la détente.

Michel s'arrêta net, puis se retourna. L'homme le tenait en joue[7].

– Si je voulais, fit-il. Allez, reviens !

Michel s'avança. Il sentait les larmes s'amonceler sous ses
75 paupières. Mais, pour rien au monde, il n'aurait voulu que l'autre le vît pleurer.

L'homme avait les cheveux, le visage et son jersey trempés. Il ricana, quand Michel arriva près de lui.

– Petit malin !... Tu as remarqué ça, que sans mes lunettes,
80 je ne vaux plus rien... Seulement, dès que je les ai, hein ?... Tiens, prends ça.

Il tendit à Michel la bouteille thermos.

– Jette-la en l'air... Haut !

Il tira, très vite. Michel ramassa la bouteille. Elle était trouée
85 en son milieu.

– Tu vois, dit l'homme. Si j'avais voulu... Mais je te répète que j'ai besoin de toi... Allez ! En route !

Il reprit sa place sur le siège arrière, et Michel se remit au volant. D'un revers de la main, il essuya ses joues humides. Il
90 dit, pour se venger :

6. S'ébrouait : se secouait pour chasser l'eau. | 7. Tenait en joue : visait.

– Ces coups de pistolet, ça porte loin !

L'homme ne s'émut pas.

– Je te vois venir, petit. Tu crois qu'on les a entendus ?... Non. Il n'y a pas une maison, pas une ferme, par ici… Je n'ai pas choisi ce trajet au hasard.

– Vous étiez donc déjà venu par ici ?

Silence.

– Et si vous ratez le camion ? reprit Michel.

Un petit rire, presque joyeux.

– Tu as raison de te défendre, petit… À ta place, j'en ferais autant. J'essayerais de jeter le doute… Mais tu tombes mal. Je ne peux pas rater le camion.

– Pourquoi ?

– Parce qu'on va arriver en avance. L'endroit a été bien choisi… Ils doivent donner trois coups de klaxon. Crois-moi, tout a été prévu.

– Et moi, là-dedans ?... Qu'est-ce que je deviens ?

– Toi ?... On a encore le temps d'y penser. Roule !

Ils roulèrent, dans de nouveaux lacets. La lune éclairait un paysage sauvage. À droite, s'ouvrait le vide, et Michel, les mains crispées sur le volant, rasait le bord.

– Et si je donnais un coup de volant ?

– Donne, petit… Donne… Tu vois. Pas facile de faire le saut… Moi aussi, quand j'avais ton âge, j'avais la vie dans la peau !

Michel avait regagné le centre de la route.

– Et maintenant ?

– Oh ! maintenant, ce n'est plus pareil. Ce n'est plus la vie qui compte. C'est de dire non.

Ils avaient atteint le sommet. Devant eux, s'étendait une sorte de plateau bosselé avec des hérissements de roches, des touffes d'arbustes tordus.

– En code !... ordonna l'homme.

– Nous allons nous casser la gueule.

– Rassure-toi. Nous n'allons pas loin.

Pendant près d'un quart d'heure, ils cahotèrent sur la pierraille, sans échanger un mot. Puis l'homme dit :

– Lâche la route. Fonce dans la nature… Va… Va… Où tu voudras.

Cette fois, Michel dut se cramponner au volant pour ne pas être décollé de son siège. Sur sa nuque, il sentait le souffle court de son compagnon.

– Là… Arrête-toi derrière ce groupe d'arbres. Plus besoin de voiture, maintenant.

Ils descendirent et l'homme tendit le bras.

– Droit devant nous… Et ne va pas trop vite, surtout !

Michel se mit en marche. À trois mètres derrière lui, l'homme butait dans les cailloux, dans les racines, et jurait.

Ils avancèrent, parallèlement à la route. Le sol montait en pente raide ; ils atteignirent le sommet de la crête, et la maison se dressa devant eux : une sorte de hutte de berger, en pierres sèches.

– Je les attendrai là, dit l'homme. Entre !

Michel regarda autour de lui, distingua la route, en contrebas, un carrefour à moins de cent mètres. L'homme le poussa du canon de son arme.

L'intérieur de la cabane n'était pas noir. Michel alla s'adosser au mur et l'homme s'assit, lourdement, tout près de la porte. D'où il était, il pouvait voir le carrefour. Il se tourna vers Michel.

– Assieds-toi… Tu n'imagines tout de même pas que tu vas me fausser compagnie.

Il respira, le nez plissé, tourna la tête à droite, à gauche.

– Ça sent le mouton… Toi, tu ne peux pas te rendre compte. Moi, si.

Sa voix fléchit ; son buste s'inclina en avant. Mais aussitôt, il se secoua.

– J'ai vu que tu avais un harmonica… Joue !

– Quoi ?

360 – Je te dis de jouer… N'importe quoi… Mais joue… Joue.

Michel commença de jouer. Un morceau très lent, dont il ne connaissait même pas le nom. L'homme ne protesta pas. Au contraire, avec sa tête il battait imperceptiblement la mesure. Dès que Michel eut fini, il ordonna :

365 – Autre chose… Ne t'arrête pas.

Michel joua. Des airs gais, des airs graves ; tout ce qui lui passait par la tête. Il joua la *Valse triste*, de Sibelius. Et l'homme essuya ses verres, sans les retirer ; peut-être aussi s'essuya-t-il les yeux. Et puis, il appuya sa nuque au mur. Et puis. Il ne 370 bougea plus.

Michel entama un autre morceau, très doux, très nostalgique. Et la voix de l'homme, tout à coup, se mêla à la musique, détimbrée[8], la voix des gens perdus dans le sommeil. Michel tendit l'oreille, essayant de comprendre. Mais l'homme parlait 375 une langue inconnue. Par instants, de brèves secousses lui contractaient le visage. Sa main droite avait lâché le pistolet, et pendait le long de sa cuisse. Sa main gauche reposait sur le sol, comme abandonnée, paume ouverte.

Un bruit de moteur monta dans la nuit. L'espace d'une 380 seconde, le rayon d'un phare balaya la cabane, fit miroiter les lunettes du dormeur. Puis des freins gémirent : le camion s'arrêtait, au carrefour. Trois appels de klaxon s'élevèrent.

L'homme poussa un grand soupir douloureux, étendit une jambe. Michel s'était approché. Il ne jouait plus aucun air 385 défini ; il n'aurait pas pu ; il se contentait d'émettre, au hasard, une suite de sons qu'il prolongeait jusqu'à la limite de son souffle.

Trois nouveaux coups de klaxon. L'homme entrouvrit des yeux vagues, perçut la musique, et redit quelques mots. Là-390 bas, le moteur se remit à ronfler. Michel entendit passer les

8. Détimbrée : assourdie, sans sonorité.

vitesses, puis, longtemps, écouta le bruit du camion qui s'éloignait. Enfin, il cessa de jouer. Lui aussi était épuisé et, un moment, il se laissa glisser sur le sol, comme s'il était vidé de son sang. Puis, lentement, sur les mains et sur les genoux, il 95 vint tout près de l'homme, épia sa respiration. Cependant, il tendait la main vers le pistolet.

Mais le nœud était trop savant. La main remonta vers le visage du dormeur, se posa, tout doucement, sur les lunettes, les retira...

00 ... Ce fut le soleil qui réveilla l'homme. Il gémit, en remuant le cou, puis ouvrit les yeux, ses gros yeux de myope, et sa main gauche vint explorer son visage. La vérité le fit sursauter. Il saisit son pistolet, le braqua devant lui.

– Mes lunettes !... Rends-moi mes lunettes, imbécile !

05 Sa tête se tournait, à droite, à gauche, et l'arme menaçait le vide.

Soudain, il entendit le piétinement menu des moutons, autour de la cabane. Très vite il se releva. Sur le seuil, la lumière le frappa, avec la violence d'un coup et il dut prendre appui 110 au montant de la porte. La main en abat-jour[9], il regarda dans la direction du carrefour, dans l'espoir insensé d'y découvrir le camion. Mais il ne distinguait même pas le tracé de la route. Il n'avait devant lui qu'un brouillard épais, moucheté de taches violettes.

115 Alors il recula, lentement, comme pour se protéger du soleil, et le pistolet se balançait au bout de sa corde. Il ne s'arrêta que lorsqu'il sentit le mur, derrière lui.

La détonation fit peu de bruit. Les moutons ne relevèrent même pas la tête.

Boileau-Narcejac, « Le fugitif »,
in *Le train bleu s'arrête treize fois*, Éd. Denoël, 1966.

9. En abat-jour : pour faire une visière.

Questions

Repérer et analyser

Hypothèses et première lecture

1 Avant la lecture de la nouvelle, émettez des hypothèses sur le personnage du fugitif. Qui peut être ce fugitif ? Que fuit-il ? Où se rend-il ? Réussira-t-il à s'en sortir ?

2 Lisez ensuite la nouvelle intégralement. Dites quelle est l'histoire racontée et rédigez vos impressions de première lecture. Vous identifierez notamment les ressemblances et les différences que vous constatez par rapport aux récits policiers que vous connaissez.

Le statut du narrateur et le point de vue

3 À quelle personne l'histoire est-elle racontée ? Illustrez votre réponse en vous appuyant sur des références précises.

4 **a.** Relevez dans le deuxième paragraphe des verbes de perception ainsi que leur sujet. Qui voit la scène ? Relevez d'autres indices qui confirment votre réponse. Selon quel point de vue dominant l'histoire est-elle ainsi engagée ?
b. Trouvez dans la nouvelle d'autres exemples où ce même point de vue est utilisé.

Le cadre spatio-temporel

5 **a.** Relevez des indices concernant le cadre extérieur de l'action. Dans quel pays et dans quelle région l'histoire se déroule-t-elle ?
b. Dans une grande partie du récit, les personnages sont dans un lieu clos. Dites lequel.

6 **a.** À quelle saison et à quel moment de la journée l'action se situe-t-elle essentiellement ? Appuyez-vous sur des indices précis.
b. Évaluez la durée de l'histoire.

Les personnages et leurs relations

La caractérisation des deux personnages

7 **a.** Qui sont les deux personnages ? Par quels mots et expressions sont-ils respectivement désignés par le narrateur ? Connaît-on l'identité de chacun d'eux ?

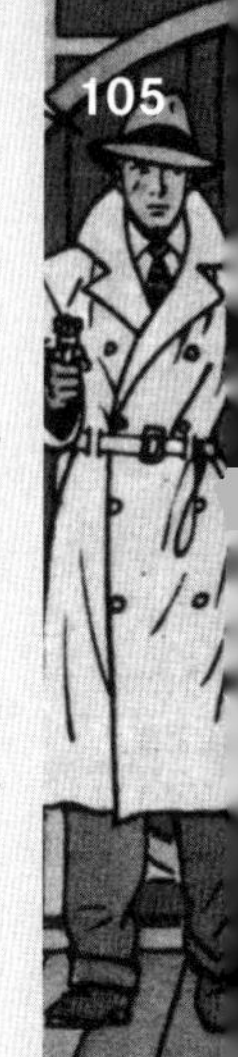

b. Relevez les informations concernant ces personnages. Sont-elles fournies par les passages narratifs ou par les paroles rapportées ? Qu'en déduisez-vous sur la fonction des paroles rapportées ?
c. Quel rôle ces personnages ont-ils dans le cadre du récit policier (coupable, victime, enquêteur…) ?
d. Y a-t-il un policier ou un enquêteur ?

La relation entre les personnages

8 En quoi les relations entre ces deux personnages sont-elles fondées sur la dépendance et la domination ? Pour répondre, appuyez-vous sur les pronoms personnels par lesquels ils se désignent, leurs gestes, leurs paroles, leur position l'un par rapport à l'autre dans la 2 CV.

Le fugitif

9 **a.** Quels sont les points faibles du fugitif ?
b. Quels sont les dangers qui le menacent ?
10 Expliquez son geste final.

Les éléments du suspense

Quand le récit policier n'est pas organisé autour d'une énigme à résoudre, le suspense réside surtout dans l'attente angoissée du lecteur tant que pèse une menace sur le héros. Pour le rappel des procédés, on se reportera page 56.

11 Relevez les mots et expressions qui caractérisent le cadre extérieur. En quoi ce cadre et les lieux dans lesquels se retrouvent les personnages contribuent-ils à créer une atmosphère d'angoisse ? Appuyez-vous sur vos réponses aux questions 5 et 6.
12 En quoi le point de vue adopté dans la nouvelle renforce-t-il le suspense de l'histoire ?
13 Combien de tentatives de fuite Michel fait-il ?
Quels moyens utilise-t-il ? Pour quel résultat ? Quel est l'effet produit sur le lecteur ?
14 Relevez les passages où il est question de musique.
Quel est le rôle de la musique dans cette nouvelle ? Quel est l'effet produit ?
15 Pourquoi le fugitif n'entend-il pas « les trois coups de klaxon » (l. 388) ? Que signifient ces coups de klaxon ?

La visée

16 **a.** Relisez la fin de la nouvelle. En quoi cette fin est-elle tragique ?
b. Contient-elle pour autant des marques d'horreur ?

17 **a.** En vous appuyant sur l'ensemble de vos réponses, dites en quoi cette nouvelle est originale par rapport, notamment, au rôle traditionnel des personnages dans le récit policier. Qui est finalement la victime ?
b. Quelle est la visée des auteurs ? Essayez d'expliquer en quoi ils ont renouvelé l'art du récit policier.

Écrire

Changer de point de vue

18 Récrivez l'histoire en vous plaçant du point de vue du fugitif ; telle qu'on pourrait la lire dans le journal du lendemain dans la rubrique des faits divers.

Lire

19 Sélectionnez quelques passages particulièrement angoissants et lisez-les à haute voix à vos camarades. Travaillez votre lecture de façon à rendre le suspense du récit (rythme de la lecture, intensité de la voix, regard à l'auditoire…).

Voir

20 De nombreux romans de Boileau-Narcejac ont été adaptés au cinéma par de très grands réalisateurs : voir *Les Diaboliques* (adaptation de *Celle qui n'était plus*), réalisation de H.-G. Clouzot, et *Vertigo* (adaptation de *Sueurs froides*), réalisation d'A. Hitchcock.

Affiche pour *Sueurs froides*.

Le maître du suspense au cinéma : Alfred Hitchcock

Extrait du scénario de *La mort aux trousses*

Confondu avec un certain Kaplan, accusé de crimes qu'il n'a pas commis, Roger Thornhill est poursuivi tout au long du film à la fois par de redoutables espions et par la police. Dans cette séquence très célèbre, il se trouve en pleine campagne avec un inconnu où on lui a fixé un mystérieux rendez-vous.

L'HOMME : C'est bizarre.
THORNHILL : Quoi ?
L'HOMME : Cet avion fait de l'épandage sur un champ qui n'est pas cultivé.
Thornhill regarde avec une plus grande méfiance l'avion qui bourdonne tandis que l'inconnu s'avance sur la route et fait signe à l'autocar de s'arrêter. Thornhill se retourne comme pour lui dire quelque chose. Mais il est trop tard. L'homme est monté dans l'autocar, dont les portes se referment et qui redémarre. Thornhill est seul à nouveau.
Presque immédiatement, il ENTEND LE MOTEUR DE L'AVION ENCLENCHER LA VITESSE SUPÉRIEURE. Il braque son regard vers le ciel, voit que l'avion dévie de sa trajectoire parallèle à la route et se dirige vers lui. Il reste là sans rien faire, les yeux écarquillés, cloué sur place. L'avion arrive en rugissant, à deux ou trois mètres du sol. Dans chacun des deux cockpits se trouve un homme caché par des lunettes protectrices. Impossible de les reconnaître, mais ils ont l'air menaçants. Thornhill hurle vers eux. Sa voix est couverte par LE BRUIT DE L'AVION. D'ici un instant, l'engin sera sur lui et le décapitera. Dans un geste désespéré, il plonge par terre et s'aplatit sur le sol. L'avion passe au-dessus de lui dans un bruit terrible et lui peigne quasiment les cheveux avec une roue.
Thornhill se met à quatre pattes et se redresse, voit l'avion s'incliner sur une aile et tourner. Il regarde autour de lui avec un air effaré, aperçoit un poteau téléphonique et se précipite dans cette direction tandis que l'avion se dirige vers lui à nouveau. Il se colle

derrière le poteau. L'avion fonce sur lui, vire à droite au dernier moment. on entend claquer sèchement deux COUPS DE FEU malgré le BRUIT DU MOTEUR. Les deux balles atteignent le poteau, juste au-dessus de la tête de Thornhill.

Thornhill réalise qu'un nouveau péril le menace et voit l'avion s'incliner sur une aile pour le reprendre en chasse. Sur la route, une voiture fonce vers l'est. Thornhill se précipite et tente de l'arrêter avec de grands gestes, mais le chauffeur l'ignore et passe devant lui à toute allure, le laissant à découvert, très vulnérable face à l'avion qui fonce sur lui en rugissant. Il plonge dans un fossé et roule sur lui-même. ON ENTEND une nouvelle SALVE DE COUPS DE FEU et les balles éclatent à l'endroit où il se trouvait un instant plus tôt.

Il se redresse, regarde autour de lui, voit un champ de maïs à une cinquantaine de mètres de la route, jette un coup d'œil vers l'avion, qui fait déjà son demi-tour, et décide de foncer vers l'abri offert par les hautes tiges de maïs.

EN PLONGÉE DEPUIS UN HÉLICOPTÈRE à une trentaine de mètres du sol, on voit Thornhill courir vers le champ de maïs et l'avion à sa poursuite.

DE L'INTÉRIEUR DU CHAMP DE MAÏS, on VOIT Thornhill arriver en fracassant les tiges, détaler sur la droite et s'allonger à plat ventre. Il reste immobile. ON ENTEND L'AVION PASSER AU-DESSUS DE LUI ET TIRER UNE NOUVELLE SALVE. Les balles déchirent les tiges de maïs, mais à bonne distance de Thornhill. Celui-ci redresse la tête prudemment, à bout de souffle. Il ENTEND L'AVION S'ÉLOIGNER ET FAIRE SON DEMI-TOUR.

EN PLONGÉE DEPUIS L'HÉLICOPTÈRE, on VOIT l'avion voler en palier au-dessus du champ de maïs, où rien ne trahit la présence de Thornhill. L'avion vole au ras des tiges mais ne tire plus de coups de feu sur son passage. À la place, il lâche d'épais nuages de poudre toxique qui s'étalent sur le maïs.

DANS LE CHAMP DE MAÏS, Thornhill, toujours couché à plat ventre, est enveloppé par la poudre toxique. Il se met à haleter et à suffoquer. Des larmes coulent de ses yeux mais il n'ose pas bouger car il ENTEND L'AVION REVENIR AU-DESSUS DU CHAMP. Au moment

où l'avion passe et où un autre nuage de poudre lui tombe dessus, il se redresse d'un bond et se rue hors du champ de maïs, à moitié aveuglé et asphyxié. Au loin sur la route, à sa droite, il voit s'approcher un énorme camion-citerne à moteur diesel. Il court vers la route pour l'intercepter. [...]

Les Cahiers du cinéma.

21 Par quel danger le héros est-il menacé ?

22 **a.** Sur quoi le suspense de cette séquence repose-t-il ?
b. Quels sont les points de vue successifs adoptés par le réalisateur ?

23 Visionnez la séquence et commentez la bande sonore.

Cary Grant dans *La Mort aux trousses*, d'Alfred Hitchcock.

Nouvelle 2

Coup de gigot

de Roald Dahl

Roald Dahl est né en 1916 au Pays de Galles. Il n'est pas à proprement parler un auteur de récits policiers. Son œuvre est très étendue et présente des aspects très variés. Ses romans pour la jeunesse, Charlie et la Chocolaterie, James et la Grosse Pêche, Le bon gros géant, Sacrées sorcières… *l'ont rendu très célèbre. Mais il s'est illustré également dans l'art de la nouvelle.*

Coup de gigot *appartient à un recueil intitulé* Bizarre ! Bizarre ! *(titre original :* Someone like you*). Ce recueil présente des nouvelles très différentes : leur point commun est d'évoquer des personnages qui n'ont rien d'exceptionnel mais dont le destin bascule, parfois même dans le crime.*

Coup de gigot *raconte, non sans humour, comment une femme ordinaire devient une meurtrière en quelques minutes et comment elle nettoie, avec un sang-froid sans égal, toutes les traces de son forfait qui devient un modèle du crime parfait. Cette nouvelle relève de la catégorie du récit policier en ce sens qu'elle raconte une histoire criminelle même s'il ne s'agit pas d'un récit à énigme traditionnel.*

Roald Dahl vers 1971.

Dans ses rideaux tirés, la chambre était chaude et propre. Les deux lampes éclairaient deux fauteuils qui se faisaient face et dont l'un était vide. Sur le buffet, il y avait deux grands verres, du whisky, de l'eau gazeuse et un seau plein de cubes 5 de glace.

Mary Maloney attendait le retour de son mari.

Elle regardait souvent la pendule, mais elle le faisait sans anxiété. Uniquement pour le plaisir de voir approcher la minute de son arrivée. Son visage souriait. Chacun de ses gestes 10 paraissait plein de sérénité[1]. Penchée sur son ouvrage, elle était d'un calme étonnant. Son teint – car c'était le sixième mois de sa grossesse – était devenu merveilleusement transparent, les lèvres étaient douces et les yeux au regard placide[2] semblaient plus grands et plus sombres que jamais.

15 À cinq heures moins cinq, elle se mit à écouter plus attentivement et, au bout de quelques instants, exactement comme tous les jours, elle entendit le bruit des roues sur le gravier. La porte de la voiture claqua, les pas résonnèrent sous la fenêtre, la clef tourna dans la serrure. Elle posa son ouvrage, 20 se leva et alla au devant de lui pour l'embrasser.

« Bonjour, chéri, dit-elle.

– Bonjour », répondit-il.

Elle lui prit son pardessus et le rangea. Puis elle passa dans la chambre et prépara les whiskies, un fort pour lui, un faible 25 pour elle-même. De retour dans son fauteuil, elle se remit à coudre tandis que lui, dans l'autre fauteuil, tenait son verre à deux mains, le secouant en faisant tinter les petits cubes de glace contre la paroi.

Pour elle, c'était toujours un moment heureux de la journée. 30 Elle savait qu'il n'aimait pas beaucoup parler avant d'avoir fini son premier verre. Elle-même se contentait de rester

| **1.** Sérénité : calme. | **2.** Placide : paisible, tranquille.

tranquille, se réjouissant de sa compagnie après les longues heures de solitude.

La présence de cet homme était pour elle comme un bain de soleil. Elle aimait par-dessus tout sa mâle chaleur, sa façon nonchalante[3] de se tenir sur sa chaise, sa façon de pousser une porte, de traverser une pièce à grands pas. Elle aimait sentir se poser sur elle son regard grave et lointain, elle aimait la courbe amusante de sa bouche et surtout cette façon de ne pas se plaindre de sa fatigue, de demeurer silencieux, le verre à la main.

« Fatigué, chéri ? »

– Oui, dit-il. Je suis fatigué. » Puis il fit une chose inhabituelle. Il leva son verre à moitié plein et avala tout le contenu. Elle ne l'épiait pas réellement, mais le bruit des cubes de glace retombant au fond du verre vide retint son attention. Au bout de quelques secondes, il se leva pour aller se verser un autre whisky.

« Ne bouge pas, j'y vais ! s'écria-t-elle en sautant sur ses pieds.

– Rassieds-toi », dit-il.

Lorsqu'il revint, elle remarqua que son second whisky était couleur d'ambre foncé.

« Chéri, veux-tu que j'aille chercher tes pantoufles ?

– Non. »

Il se mit à siroter[4] son whisky. Le liquide était si fortement alcoolisé qu'elle put y voir monter les petites bulles huileuses.

« C'est tout de même scandaleux, dit-elle, qu'un policier de ton rang soit obligé de rester debout toute la journée. »

Comme il ne répondait pas, elle baissa la tête et se remit à coudre. Mais chaque fois qu'il buvait une gorgée, elle entendait le tintement des cubes de glace contre la paroi du verre.

3. Nonchalante : insouciante.

4. Siroter : boire à petits coups en savourant.

« Chéri, dit-elle, veux-tu un peu de fromage ? Je n'ai pas préparé de dîner puisque c'est jeudi.

65 – Non, dit-il.

– Si tu es trop fatigué pour dîner dehors, reprit-elle, il n'est pas trop tard. Il y a de la viande dans le réfrigérateur. Tu pourrais manger ici-même, sans quitter ton fauteuil. »

Ses yeux attendirent une réponse, un sourire, un petit signe 70 quelconque, mais il demeura inflexible[5].

« De toute façon, dit-elle, je vais commencer par t'apporter du fromage et des gâteaux secs.

– Je n'y tiens pas », dit-il.

Elle s'agita dans son fauteuil, ses grands yeux toujours posés 75 sur lui. « Mais tu *dois* dîner. Je peux tout préparer ici. Je serai très contente de le faire. Nous pourrions manger du rôti d'agneau. Ou du porc. Ce que tu voudras. Tout est dans le réfrigérateur.

– N'y pense plus, dit-il.

80 – Mais chéri, il *faut* que tu manges ! Je vais préparer le dîner et puis tu mangeras ou tu ne mangeras pas, ce sera comme tu voudras. »

Elle se leva et posa son ouvrage sur la table, près de la lampe.

85 « Assieds-toi, dit-il. J'en ai pour une minute, assieds-toi. »

C'est alors seulement qu'elle commença à s'inquiéter.

« Assieds-toi », répéta-t-il.

Elle se laissa retomber lentement dans son fauteuil, ses grands yeux étonnés toujours fixés sur lui. Il avait fini son second 90 whisky et regardait le fond de son verre vide en fronçant les sourcils.

« Écoute, dit-il. J'ai quelque chose à te dire.

– Quoi donc, chéri ? Qu'y a-t-il ?

5. Inflexible : dur, ferme, inébranlable.

À présent, il se tenait absolument immobile, la tête penchée en avant. La lampe éclairait la partie supérieure de son visage, laissant la bouche et le menton dans l'ombre. Elle remarqua le frémissement d'un petit muscle, près du coin de son œil gauche.

« Je crains que cela te fasse un petit choc, dit-il. Mais j'ai longuement réfléchi pour conclure que, la seule chose à faire, c'était de te dire la vérité. J'espère que tu ne me blâmeras pas trop. »

Et il lui dit ce qu'il avait à lui dire. Ce ne fut pas long. Quatre ou cinq minutes au plus. Pendant son récit, elle demeura assise. Saisie d'une sourde horreur, elle le vit s'éloigner un peu plus à chaque mot qu'il prononçait.

« Voilà, c'est ainsi, conclut-il. Et je sais que je te fais passer un mauvais moment, mais il n'y avait pas d'autre solution. Naturellement, je te donnerai de l'argent et je ferai le nécessaire pour que tu ne manques de rien. Inutile de faire des histoires. J'espère qu'il n'y en aura pas. Ça ne faciliterait pas ma tâche. »

Sa première réaction était de ne pas y croire. Tout cela ne pouvait être vrai. Il n'avait rien dit de tout cela. C'est elle qui avait dû tout imaginer. Peut-être, en refusant d'y croire, en faisant semblant de n'avoir rien entendu, se réveillerait-elle de ce cauchemar et tout rentrerait dans l'ordre.

Elle eut la force de dire : « Je vais préparer le dîner. » Et cette fois, il ne la retint pas.

En traversant la pièce, elle eut l'impression que ses pieds ne touchaient pas le sol. Elle ne ressentit rien, rien excepté une légère nausée. Tout était devenu automatique. Les marches qui la conduisaient à la cave. L'électricité. Le réfrigérateur. Sa main qui y plongea pour attraper l'objet le plus proche. Elle le sortit, le regarda. Il était enveloppé. Elle retira le papier.

C'était un gigot d'agneau.

Bien. Il y aurait du gigot pour dîner. Tenant à deux mains le bout de l'os, elle remonta les marches. Et lorsqu'elle traversa la salle de séjour, elle aperçut son mari, de dos, debout devant la fenêtre. Elle s'arrêta.

« Pour l'amour de Dieu, dit-il sans se retourner, ne prépare rien pour moi. Je sors. »

Alors, Mary Maloney fit simplement quelques pas vers lui et, sans attendre, elle leva le gros gigot aussi haut qu'elle put au-dessus du crâne de son mari, puis cogna de toutes ses forces. Elle aurait pu aussi bien l'assommer d'un coup de massue.

Elle recula. Il demeura miraculeusement debout pendant quelques secondes, en titubant un peu. Puis il s'écroula sur le tapis.

Dans sa chute qui fut violente, il entraîna un guéridon. Le tintamarre aida Mary Maloney à sortir de son état de demi-inconscience, à reprendre contact avec la réalité. Étonnée et frissonnante, serrant toujours de ses deux mains son ridicule gigot, elle contempla le corps.

« Ça y est, se dit-elle. Je l'ai tué. »

Son esprit était devenu soudain extraordinairement clair. Épouse de détective, elle savait très bien quelle peine elle risquait. Cela ne l'inquiétait nullement. Cela serait plutôt un soulagement. Mais l'enfant qu'elle attendait ? Que faisait la loi d'une meurtrière enceinte ? Tuait-on les deux, la mère et l'enfant ? Ou bien attendait-on la naissance ? Comment procédait-on ?

Mary Maloney n'en savait rien. Elle était loin de s'en faire une idée.

Elle alla dans sa cuisine, alluma le four et mit le gigot à rôtir. Puis elle se lava les mains et monta dans sa chambre en courant. Là, elle s'assit devant sa coiffeuse, se donna un coup de peigne, se repoudra et mit un peu de rouge à lèvres. Elle tenta

160 de sourire. Le résultat fut lamentable. Elle fit une nouvelle tentative.

« Bonjour, Sam », dit-elle, joyeusement, à haute voix.

La voix, comme le sourire, lui parut dépourvue de naturel.

« Pourriez-vous me donner quelques pommes de terre ? Et
165 puis une boîte de petits pois ? »

Cela allait mieux. Pour le sourire et pour la voix. Elle répéta plusieurs fois son petit texte. Puis elle descendit, prit son manteau, sortit par la petite porte, traversa le jardin pour se trouver dans la rue.

170 Il n'était pas tout à fait six heures et l'épicerie était encore éclairée.

« Bonsoir, Sam, dit-elle joyeusement à l'homme qui se trouvait derrière le comptoir.

– Bonsoir, madame Maloney. Comment allez-vous ?

175 – Pourriez-vous me donner quelques pommes de terre ? Et puis une boîte de petits pois ! »

L'homme lui tourna le dos pour descendre du rayon la boîte de petits pois.

« Patrick a décidé de ne pas sortir ce soir, il est trop fatigué,
180 dit-elle. D'habitude, nous sortons le jeudi soir, vous savez bien. Et je m'aperçois que je n'ai pas de légumes à la maison.

– Et de la viande, madame Maloney, vous n'en prenez pas ?

– Non, merci, j'en ai. J'ai un beau gigot congelé.

– Ah !

185 – Au fond, je n'aime pas tellement faire cuire de la viande congelée, Sam. Mais, cette fois-ci, je vais essayer. Qu'en pensez-vous ?

– Personnellement, dit le commerçant, je ne crois pas qu'il y ait une différence. Voulez-vous de ces pommes de terre de
190 l'Idaho ?

– Oh oui, ça ira très bien.

– Et avec ça ? demanda l'épicier en souriant. Comme dessert ? Qu'allez-vous lui donner comme dessert ?

– Eh bien…, que me conseillez-vous, Sam ? »

95 L'épicier passa en revue ses rayons. « Ce beau gâteau au fromage, par exemple ? Je crois savoir qu'il aime ça.

– Parfait, dit-elle. Il adore le gâteau au fromage. »

Puis, après avoir payé, elle dit avec un sourire radieux[6] :

« Merci, Sam. Bonsoir !

100 – Bonsoir, madame Maloney. Et merci ! »

Dans la rue, elle pressa le pas. Elle se dit qu'elle allait retrouver son mari qui l'attendait à la maison. Elle se dit encore qu'il fallait bien réussir le dîner parce que le pauvre homme était fatigué. Alors, si, en rentrant, elle allait trouver 105 quelque chose d'insolite, de tragique ou d'épouvantable, elle serait tout naturellement bouleversée, elle deviendrait folle de chagrin et de terreur. Elle rentrait chez elle, simplement, comme n'importe quel autre jour, après avoir fait ses provisions. C'est Mme Maloney qui vient d'acheter des légumes 110 et qui rentre à la maison, un jeudi soir. Elle rentre chez elle où l'attend son mari. Elle va préparer un bon repas.

« C'est la seule chose à faire, se dit-elle. Me conduire avec naturel et simplicité. Être naturelle. Comme ça, pas besoin de jouer la comédie. »

115 C'est donc en fredonnant un petit air joyeux qu'elle entra dans sa cuisine par la petite porte.

« Patrick ! cria-t-elle. J'arrive ! »

Elle posa son paquet sur la table et passa dans la salle de séjour. Et lorsqu'elle le vit, étendu par terre, les jambes en 120 bataille, un bras replié, ce fut réellement un choc assez violent. Elle sentit rejaillir en elle tout un torrent d'amour perdu, de tendresse ancienne. Elle courut vers le corps, tomba à genoux et se mit à pleurer à chaudes larmes. C'était facile. Pas nécessaire de jouer la comédie.

6. Radieux : heureux, ravi.

225 Au bout de quelques minutes, elle se leva et alla au téléphone. Elle savait par cœur le numéro du poste de police. Et lorsqu'elle entendit une voix au bout du fil, elle dit en pleurant : « Venez vite ! Patrick est mort !

– Qui est à l'appareil ?

230 – C'est Mme Maloney. La femme de Patrick Maloney.

– Vous voulez dire que Patrick est mort ?

– Je le pense, sanglota-t-elle. Il est étendu par terre et je crois qu'il est mort.

– On arrive », dit la voix.

235 Le car arriva en effet très vite et lorsqu'elle ouvrit la grande porte, elle tomba tout droit dans les bras de Jack Noonan, en pleurant avec hystérie. Il l'aida gentiment à s'asseoir sur sa chaise, puis il alla rejoindre son collègue qui venait de s'agenouiller près du corps.

240 « Est-il mort ? pleura Mary.

– Je le crains. Que s'est-il passé ? »

Elle raconta brièvement qu'elle était descendue chez l'épicier et qu'elle avait trouvé Patrick étendu par terre en rentrant. En écoutant son récit coupé de sanglots, Noonan découvrit 245 une paillette de sang[7] gelé sur les cheveux du mort. Il la montra aussitôt à O'Malley, qui se leva et courut au téléphone.

Peu après, d'autres hommes envahirent la maison. Un médecin, puis deux détectives. Mary en connaissait un de nom. Le photographe de la police arriva et prit des clichés. Ensuite 250 ce fut le tour de l'expert chargé de prendre les empreintes digitales. Il y eut de longs chuchotements autour du cadavre et Mary dut répondre à d'innombrables questions. Mais tout le monde la traita avec beaucoup de gentillesse. Il fallut qu'elle racontât de nouveau son histoire, depuis le début. L'arrivée 255 de Patrick alors qu'elle était assise dans son fauteuil en cousant.

7. Paillette de sang : cristaux de sang.

Il était fatigué, si fatigué qu'il n'avait pas eu envie de dîner dehors. Elle raconta comment elle avait mis le gigot au four – « il y est toujours » – et comment elle était descendue chez l'épicier. Et comment, en rentrant, elle avait trouvé son époux gisant sur le tapis.

« Quel épicier ? » demanda l'un des détectives. Elle le lui dit et il parla à voix basse à l'autre détective qui, aussitôt, quitta la maison.

Il revint au bout d'une quinzaine de minutes avec une page de notes. Il y eut d'autres chuchotements, et, à travers ses sanglots, elle put capter des bribes de phrases : « ... Comportement absolument normal... très enjouée... voulait lui préparer un bon dîner... petits pois... gâteau au fromage... impossible qu'elle... » Un peu plus tard, le photographe et le docteur prirent congé. Deux autres policiers firent leur entrée pour emporter le corps sur un brancard. Puis l'homme aux empreintes digitales se retira à son tour. Les deux détectives restèrent, ainsi que les deux agents. Ils étaient tous remarquablement gentils et Jack Noonan voulut savoir si Mary n'avait pas envie de quitter la maison, d'aller, par exemple, chez sa sœur ou, peut-être, chez sa femme à lui qui prendrait soin d'elle et qui l'accueillerait volontiers pour la nuit.

« Non », dit-elle. Elle lui expliqua qu'elle ne se sentait pas la force de bouger. Qu'elle aimerait mieux rester où elle était pour l'instant. Qu'elle ne se sentait pas bien. Pas bien du tout.

Jack Noonan lui demanda alors si elle ne voulait pas se mettre au lit.

« Non », répondit-elle encore. Elle préférait rester dans son fauteuil. Un peu plus tard peut-être, quand elle se sentirait mieux, elle prendrait une décision.

Ainsi ils l'abandonnèrent dans son fauteuil pour aller fouiller la maison. Mais, de temps à autre, l'un des détectives revenait pour lui poser une question. Jack Noonan revint à son tour et lui parla doucement. Son mari, lui dit-il, avait été tué d'un coup violent sur le crâne, administré à l'aide d'un instrument lourd et contondant[8], probablement en métal. Ils étaient actuellement à la recherche de cet objet. L'assassin avait pu l'emporter avec lui, mais il avait pu aussi bien s'en débarrasser sur les lieux.

« C'est une vieille histoire, dit-il. Trouvez l'arme et vous tenez le bonhomme ! »

Plus tard, l'un des détectives remonta de la cave et vint s'asseoir près d'elle. Il lui demanda si, à sa connaissance, il existait dans la maison un objet ayant pu servir d'arme. Et si cela ne l'ennuyait pas d'aller voir s'il ne manquait rien, une grosse clef anglaise, par exemple. Ou un vase de métal.

Elle lui dit qu'elle n'avait jamais eu de vase de métal.

« Et une clef anglaise ? »

Elle ne pensait pas en avoir. À moins qu'il n'y en eût une au garage.

Les recherches reprirent. Elle savait que d'autres policiers se trouvaient au jardin, tout autour de la maison. Elle entendait le gravier grincer sous leurs pas et, de temps à autre, elle entrevoyait la lueur de leurs torches par une fente du rideau. Il était tard. Près de neuf heures. Après tant de vaines recherches, les quatre policiers parurent un peu exaspérés.

« Jack, dit-elle lorsqu'elle vit entrer le sergent Noonan. Auriez-vous la gentillesse de me donner à boire ?

– Mais certainement ! C'est du whisky que vous voudriez ?

– Oui, s'il vous plaît. Mais très peu, rien qu'un doigt ! Je me sentirai peut-être mieux après. »

Il lui tendit le verre.

« Pourquoi n'en prenez-vous pas vous-même ? dit-elle. Vous devez être terriblement fatigué.

8. Contondant : qui blesse sans couper ni percer.

320 – C'est que, fit-il, ce ne serait pas strictement régulier. Mais j'en prendrais bien une goutte, pour rester en forme. »

Un autre homme entra. Après quelques encouragements, ils étaient tous là, debout, tenant gauchement leur verre à la main. Intimidés par la présence de la veuve, ils s'efforçaient de 325 prononcer des mots réconfortants. Puis le sergent Noonan alla faire un tour à la cuisine. Il revint aussitôt et dit : « Vous savez, madame Maloney, votre four est toujours allumé et la viande est dedans !

– Oh ! mon Dieu ! s'écria-t-elle, c'est vrai !

330 – Voulez-vous que j'aille l'éteindre ?

– Vous seriez très gentil, Jack. Merci mille fois. »

Lorsque le sergent Noonan revint pour la seconde fois, elle leva sur lui ses grands yeux sombres et mouillés. « Jack Noonan, dit-elle.

335 – Oui ?

– Voulez-vous me rendre un petit service, vous et vos collègues ?

– Certainement, madame Maloney.

– Eh bien, dit-elle, vous êtes tous des amis de mon pauvre 340 Patrick et vous êtes ici pour m'aider à trouver son assassin. Vous devez avoir faim, après tant d'heures supplémentaires, et je sais que mon pauvre Patrick ne me pardonnerait jamais de vous recevoir ici sans rien vous offrir. Pourquoi ne mangeriez-vous pas le gigot qui est au four ? Il doit être cuit à point.

345 – Impossible d'accepter… bredouilla Jack Noonan.

– S'il vous plaît, supplia-t-elle, faites-le pour moi. Moi-même, pas question que je touche à quoi que ce soit. Tout me fait trop penser à lui. Mais vous, c'est différent. Vous m'aurez rendu un immense service. Et ensuite, vous pourrez vous remettre 350 au travail. »

Les quatre policiers eurent un long moment d'hésitation ; mais comme ils mouraient tous de faim, ils finirent par se laisser convaincre. Ils se rendirent à la cuisine pour attaquer le gigot. La jeune femme demeura à sa place, ce qui lui permit 355 de les écouter par la porte entrouverte. Elle put ainsi les entendre parler, la bouche pleine, de leurs grosses voix pâteuses.

« Un autre morceau, Charlie ?

– Non. Vaut mieux ne pas tout manger.

360 – Elle veut qu'on mange tout. C'est ce qu'elle a dit. Ça lui rend service.

– Bon, si ça lui rend service, passe-moi encore un petit bout.

– Qu'est-ce qu'il a bien pu avoir comme gourdin, le type qui a bousillé le pauvre Patrick ? dit l'un d'eux. Le toubib dit qu'il 365 a une partie du crâne en miettes, comme broyée à coups de marteau.

– On finira bien par trouver.

– C'est ce que je pense aussi.

– Qui que ce soit, il n'a pas pu aller loin avec son truc. Un 370 truc comme ça, on ne le trimbale jamais plus longtemps qu'il ne le faut. »

L'un d'eux éructa[9].

« À mon avis, la chose doit se trouver ici, sur les lieux mêmes.

– Probablement. Nous devons l'avoir sous le nez. Tu ne crois 375 pas, Jack ? »

Dans la pièce voisine, Mary Maloney se mit à ricaner[10].

Roald Dahl, « Coup de gigot », in *Bizarre ! Bizarre !*, traductions Elizabeth Gaspar et Hilda Barberis, Éd. Gallimard.

9. Éructer : roter.
10. Ricaner : rire à demi de façon méprisante ou sarcastique.

Repérer et analyser

Première lecture

1 À l'issue de votre première lecture, rédigez vos impressions et indiquez notamment les ressemblances et les différences que vous voyez avec la nouvelle précédemment étudiée.

Le statut du narrateur et le point de vue

2 Identifiez le statut du narrateur.

3 **a.** Montrez en citant des exemples précis que le point de vue dominant adopté par le narrateur est un point de vue omniscient.
b. Citez des passages dans lesquels le narrateur mène le récit selon le point de vue d'un personnage. De quel personnage s'agit-il ?
c. Quel est l'effet produit par ce jeu sur les points de vue ?

Le cadre de l'action

4 Dans quel pays et dans quels lieux précis l'histoire se déroule-t-elle ? Appuyez-vous sur les indications de lieu.

Le rythme de la narration

Étudier le rythme de la narration, c'est établir le rapport entre le temps de l'histoire (années, mois, journées, heures) et le temps de la narration (pages, lignes). On parle de scène lorsque le temps de la narration est à peu près égal au temps de la fiction (par exemple dans les dialogues). On parle de sommaire quand des événements qui se sont déroulés sur une période assez longue sont résumés en quelques phrases. On parle d'ellipse quand certains événements sont passés sous silence.

5 À quel moment de la journée l'action débute-t-elle ? À quel moment se termine-t-elle ? Évaluez la durée de l'histoire. Quel est l'effet produit ?

6 Relevez le passage dans lequel le narrateur joue avec la curiosité du lecteur, choisissant de ne pas tout lui révéler.

L'organisation du récit

Les prémices

7 **a.** Caractérisez l'ambiance du début de soirée chez les Maloney. Appuyez-vous sur des indices précis (cadre, mode de vie...).

b. Quelle relation les personnages entretiennent-ils ? Qui parle le plus ?

Le meurtre

8 Quand le crime intervient-il dans cette nouvelle ? Intervient-il au même moment dans le récit à énigme ? Établissez la comparaison.

9 **a.** Quel est l'élément qui déclenche le meurtre ? Relevez les verbes d'action.

b. En quoi la scène du meurtre s'oppose-t-elle à celle qui a précédé ?

L'enquête

10 **a.** Par qui la police est-elle appelée ?

b. Identifiez les personnages intervenant dans l'enquête et indiquez leur fonction. Quelles sont les premières déductions ?

c. Quel rapport les enquêteurs entretiennent-ils avec Mary Maloney ? Pour quelle raison ?

Le portrait du criminel

Un personnage peut être caractérisé dans les passages narratifs et descriptifs mais aussi par les paroles que le narrateur rapporte.
Le style direct rapporte les paroles telles qu'elles ont été prononcées.
Le style indirect intègre les paroles des personnages à la narration par le biais d'un verbe introducteur de parole et d'une proposition subordonnée ; ces paroles sont prises en charge par le narrateur.
Le style indirect libre intègre les paroles à la narration sans verbe introducteur de parole. Il permet de rapporter les pensées d'un personnage, il est lié au point de vue interne.

11 **a.** À quel type d'épouse Mrs Maloney correspond-elle au début de la nouvelle ? Caractérisez le personnage en vous appuyant sur des indices précis.

b. « Mais tu *dois* dîner… » (l. 75) ; « Mais chéri, il *faut* que tu manges… » (l. 80) : pourquoi selon vous y a-t-il des italiques ? Quel trait de caractère ces italiques révèlent-ils ?

12 **a.** Dans quel état d'esprit Mary Maloney accomplit-elle le meurtre (l. 113 à 145) ? Appuyez-vous sur la forme et la construction des phrases (l. 122 à 124 : « Tout était devenu automatique […] le plus proche »).

b. Quels sentiments successifs éprouve-t-elle durant cette scène ? Relevez un passage au style indirect libre.

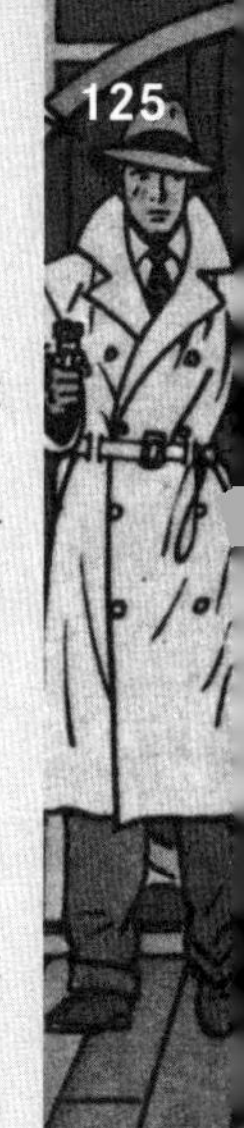

13 **a.** Pour quelle raison se rend-elle chez l'épicier (l. 170 à 200) ? En quoi est-elle une bonne comédienne ?
b. Pourquoi retient-elle les policiers à dîner (l. 332 à 376) ? Comment caractériseriez-vous son attitude ?
c. En quoi la dernière phrase éclaire-t-elle définitivement le personnage ? Analysez la transformation qui s'est opérée chez elle entre le début et la fin de la nouvelle.

L'humour noir

L'humour est une tonalité particulière qui se caractérise par la capacité à considérer la réalité sous un aspect insolite et plaisant.
On parle d'humour noir quand il s'agit de sujets graves, qui ont éventuellement un rapport avec la mort.

14 Quelle est l'arme du crime ? Pourquoi peut-on parler d'un crime parfait original ?
15 **a.** En quoi la fin de la nouvelle est-elle humoristique ? Appuyez-vous sur les expressions qui sont à double sens.
b. Sur quel jeu de mots le titre repose-t-il ?

La visée

16 *Someone like you* (« Quelqu'un comme vous ») est le titre original du recueil dans lequel se trouve cette nouvelle. Que montre Roald Dahl à travers le personnage de Mary Maloney, d'après vous ?

Étudier la langue

Exercice de réécriture

17 Dans ce récit le narrateur mêle habilement les paroles rapportées en style direct, en style indirect et en style indirect libre.
Transposez les passages suivants au style direct puis comparez l'effet produit.
- « Épouse de détective, elle savait très bien [...] Comment procédait-on ? » (l. 148 à 153).
- « Elle se dit qu'elle allait retrouver son mari [...] terreur » (l. 201 à 207).
- « Elle raconta brièvement [...] en rentrant » (l. 242-243).

Écrire

Combler une ellipse

18 « Et il lui dit ce qu'il avait à lui dire [...] Ça ne faciliterait pas ma tâche » (l. 103 à 112). Le narrateur ne donne pas de détails sur la révélation que Patrick Maloney fait à sa femme. Imaginez le texte de cette révélation : vous ferez parler le mari à la première personne, vous pourrez insérer des passages narratifs.

Rédiger le récit d'un témoin

19 En vous appuyant sur les indications fournies par le texte et notamment par le passage « Quel épicier ? [...] impossible qu'elle... » (l. 261 à 269), vous rédigerez le témoignage effectué par l'épicier en réponse aux policiers. Vous ferez parler le témoin à la première personne, vous insérerez un portrait de la jeune femme et des paroles rapportées.

Rédiger une critique littéraire

20 Vous rédigez pour le journal de votre collège un article dans lequel vous conseillez la lecture de cette nouvelle. Tout en résumant l'intrigue, vous vanterez l'intérêt et les qualités de ce récit. Votre développement pourra s'appuyer sur les réponses fournies aux questions « Repérer et analyser ».

Mettre en scène

21 Divisez la classe en quatre ou cinq groupes. Chaque groupe sera chargé de la transposition du récit en texte théâtral : vous reprendrez les dialogues en les développant si nécessaire, et vous intégrerez des didascalies. Puis vous proposerez une mise en scène.

Lire

22 **a.** Lisez une autre nouvelle du même auteur, comme par exemple « La Logeuse » dans le recueil *Kiss Kiss*.
b. Lisez également *Qui a tué Ed Garpo ?* de Fred Kassak, ainsi que la collection « Le Poulpe ».

Lire l'image

23 Prenez connaissance de l'image ci-dessous.

a. De quel type d'image s'agit-il ?

b. En quoi la femme représentée correspond-elle bien au personnage de Mary Maloney ?

Publicité dans *Art et Décoration*, 1953.

Nouvelle 3

Les poissons rouges

de Didier Daeninckx

Né en 1949, Didier Daeninckx a exercé pendant une quinzaine d'années les métiers d'ouvrier, d'imprimeur, d'animateur culturel et de journaliste. En 1984, il publie Meurtres pour mémoire *qui raconte un fait réel de notre histoire passé sous silence par le pouvoir et les médias (le massacre par la police parisienne de quatre cents Français Musulmans en octobre 1961), et pour lequel il obtient le Grand Prix de la littérature policière.*

Très influencé par la littérature américaine, il renoue avec la tradition du roman noir qui est un roman de critique sociale ; il n'hésite pas à dénoncer les affaires crapuleuses, les camouflages politiques, le monde sordide des banlieues, ce qui fait de lui l'un des auteurs phares de la nouvelle littérature policière française appelée « néo-polar ».

Les poissons rouges *est une nouvelle qui nous plonge dans une réalité étrange et inquiétante, typique du néo-polar : elle a été publiée dans un recueil intitulé* Main courante *en 1994 (la main courante est le registre de police sur lequel les policiers inscrivent les événements qui leur parviennent heure par heure – vol, agression, disparition – et qui sont souvent la matière des faits divers).*

Aux rédacteurs des dépêches anonymes
de l'Agence France-Presse.

Je n'aurais jamais cru qu'on puisse être aussi calme après avoir tué son père. Ou son beau-père...

L'autre je ne l'ai jamais connu, alors, c'est tout comme !

« Tu n'as rien perdu ! »... Je l'ai entendue au moins mille fois, celle-là... Maman était encore enceinte de moi lorsqu'il est parti. Il ne m'a laissé que son prénom, Albert... que je traîne depuis vingt-trois ans. Il n'y est pour rien, c'est maman, elle l'aimait encore, malgré tout, mais ce n'était pas une raison pour m'imposer ça une vie entière...

J'ai dormi normalement, sans cachet, huit heures d'affilée et s'ils n'avaient pas cogné à la porte, pour le café, j'y serais toujours.

Je n'ai pas voulu y penser avant de m'endormir. J'ai serré les dents, à les briser, et les idées ont reflué de ma tête.

Je suis seul dans la cellule, une faveur paraît-il ! On voit bien qu'ils vivent de l'autre côté des grilles... On se cogne les genoux au mur rien qu'en s'asseyant. À deux on aurait moins froid. Et on peut se parler, même si on ne dit pas tout. Ils m'ont obligé à laisser toutes mes affaires en entrant. Une espèce de balle de vêtements serrée par ma ceinture, au milieu de toutes les autres, avec mon numéro d'écrou[1], dans une cellule inoccupée bourrée de casiers.

C'est la première fois que je dors autre part que dans mon lit. Aux trois jours[2] je ne suis resté que le matin et l'après-midi : ils m'ont réformé avant le morse avec un type qui se remettait mal d'un accident de moto. Personne ne m'en a voulu à la maison, même grand-mère qui était juste un peu triste. L'avocat

1. Écrou : acte, procès verbal constatant qu'un individu a été écroué, remis à un directeur de prison, et mentionnant notamment la date et la cause de l'emprisonnement (ici, numéro figurant sur le registre d'écrou).
2. Aux trois jours : période de tests évaluant les capacités intellectuelles des jeunes gens avant le service militaire.

était là et c'est lui qui a demandé au gardien, pour le carnet et le crayon, si je pouvais les prendre avec moi. Il a commencé par dire qu'il ne voulait pas d'histoires, qu'on verrait ça plus tard avant de hausser les épaules et de me faire signe d'y aller.

On ne s'évade pas avec du papier et un crayon!

C'est un gros cahier de couturière de l'année 1973, deux pages par jour, heure par heure, bloquées sous une épaisse couverture cartonnée noire. Depuis près de quinze ans j'y inscris le résumé de chacune de mes semaines sur une page en la numérotant. Mon écriture est restée pratiquement la même, pattes de mouche, penchée d'un côté quand j'écris à la fenêtre, de l'autre près de la lampe. Demain ce sera la semaine n° 730, il ne reste plus qu'une page à remplir...

Semaine n° 1. Du 2 au 8 avril 1974

Il n'a pas fait beau et je ne suis pas sorti au zoo avec l'école. J'ai fait semblant d'être malade, de tousser. Mercredi maman m'a emmené au marché de la mairie. Je l'ai tirée jusqu'au fond, derrière la halle. Il y avait des lapins nains, des hamsters, et toute une portée de petits chiens plus beaux que des caniches, des bergers labris[3]... J'ai réussi à revenir avec deux poissons rouges (parce que ça ne fait pas de saletés), en promettant de m'en occuper pour manger.

....

....

Semaine n° 18. Du 29 juillet au 4 août 1974

Je n'aime pas quand ils se battent. Les disputes ce n'est pas la même chose. Je l'entendais qui poussait des cris aigus, dans sa chambre. Quand je suis entré, il était sur elle et lui tenait les bras. Maman a sursauté en me voyant. Il s'est levé, d'un

3. Bergers labris : chiens de bergers.

55 coup, une main entre ses jambes qui ne cachait rien et m'a fichu une claque. Il a plein de poils sur la poitrine et un gros ventre avec un nombril tout plissé. Je n'ai pas pleuré.

Semaine n° 31. Du 30 novembre au 6 décembre 1974

J'ai encore eu des mauvaises notes à l'école. Je suis gaucher,
60 alors c'est obligé, dès que j'ai écrit un mot avec mon stylo-plume, ma main passe dessus avant qu'il soit sec. Ça fait sale et la maîtresse ne veut rien comprendre parce qu'elle est de la main droite, elle. À la maison maman m'a fait un test : elle me lance un ballon et je tape dedans. C'est toujours le pied gauche
65 qui part, donc je suis un vrai gaucher, sauf qu'elle n'ose pas venir le dire à la maîtresse. Elle a honte.

Semaine n° 40. Du 23 au 29 janvier 1975

La voiture télécommandée est cassée. Il n'arrêtait pas de jouer avec et elle cognait contre les pieds de la table. Bien sûr,
70 c'est moi qui casse tout ! Il se croit le plus malin mais je l'ai regardé boire son vin, à table… Il claquait du palais en disant : « Il est vraiment bon son Gamay, pour le prix… Faudra penser à en recommander… Tu ne veux pas y goûter ? » Je sais bien que maman ne boit jamais d'alcool, sinon je n'aurais pas pissé
75 dans le goulot… Pas beaucoup, cinq ou six gouttes, je voulais plus mais j'ai sorti ma quéquette de la bouteille quand j'ai entendu des pas.

....

....

Semaine n° 47. Du 13 au 19 mars 1975

Mes poissons rouges ont disparu ! Dès que je rentre, le midi,
80 je pose mon cartable et je viens les voir. L'aquarium n'était plus à sa place, sur le réfrigérateur. J'ai d'abord cru qu'il était dans l'évier, pour changer d'eau. Rien. Je l'ai trouvé en haut du

placard de la cuisine, au milieu des bocaux vides. J'en ai fait tomber. Il est sorti de la salle de bains à moitié rasé, en entendant le ramdam[4]. Pas très à l'aise. Il travaille une semaine sur deux très tôt, et là, c'est sa semaine de l'après-midi. J'ai éclaté en sanglots. Il a fait semblant d'être triste pour me dire qu'il avait mal rincé le bocal après l'avoir nettoyé à l'eau de Javel. Les poissons étaient dans la poubelle, sous un emballage de Mokarex[5]. Je les ai enterrés dans la jardinière, sur le balcon, avec des petites figurines d'Indiens, au-dessus, pour faire joli.

....

....

Semaine n° 48. Du 20 au 26 mars 1975

Je ne sais pas si on peut mourir à neuf ans, si le cœur peut s'arrêter d'un seul coup, à cause du chagrin. C'est la voisine du dessous qui a tout déclenché parce que l'eau traversait son plafond et avait fait un court-circuit dans sa télé, en gouttant. Elle tambourinait à la porte et ses cris résonnaient dans l'escalier. Il est venu ouvrir, en pyjama. Maman était dans la baignoire, la tête contre le rebord en émail, les yeux à demi fermés. L'eau coulait du robinet de douche et passait par-dessus bord, par tout un tas de petits filets. Au début je croyais qu'elle nous faisait une blague. Il a dit : « Ne touchez à rien ! » et a coupé le courant au compteur. C'est là qu'il a sorti le sèche-cheveux qui flottait devant les seins de maman.

....

....

Semaine n° 50. Du 3 au 9 avril 1975

Elle est toute seule dans le cimetière depuis lundi. J'ai vu plein de gens de ma famille que je ne connaissais pas.

4. Ramdam : tapage, vacarme (familier).
5. Mokarex : nom d'une marque de café.

On a tous mangé dans un restaurant, à l'entrée du cimetière de Pantin et j'ai pleuré pendant tout le repas. On m'a posé plein de questions, un monsieur de la police et un autre des assurances, rapport au sèche-cheveux, mais rien sur les poissons rouges. Ce n'est pas une histoire d'eau de Javel.

Semaine n° 354. Du 7 au 13 février 1981

Il pourrait être plus discret ce connard ! Ou les emmener autre part... Si je mets ma musique à fond la caisse, c'est pour ne pas les entendre ! Il parle encore de me placer en apprentissage, un lycée de menuiserie vers Lamastre, au fin fond de l'Ardèche où il connaît quelqu'un. Sous prétexte que je ne veux rien apprendre. Il ne s'interroge pas. Pour lui, c'est comme ça ! Menuisier du pied gauche... Rends-moi maman et j'apprends.

....

....

Semaine n° 553. Du 5 au 11 novembre 1984

Ils ne m'ont pas gardé longtemps, à Vincennes ! Même pas une journée. C'était comme une salle de classe sauf que le prof était en uniforme. Des paquets de tests plus débiles les uns que les autres du genre : « Qu'est-ce qu'on prend pour enfoncer le clou ? La cisaille, le discours ou le marteau... »

Au choix ! J'ai fait n'importe quoi, à la fin je ne lisais même plus les questions. Quand on a commencé à décrypter le morse, un trait long, deux traits courts, un examinateur est entré et m'a appelé, moi et un type qui avait la tête entourée de bandages, un accident de moto. Direct au psychiatre. Il m'a parlé de ma mère et c'est comme si je revoyais la baignoire. Grand-mère est venue à la maison mais elle ne le supporte pas, elle non plus.

....

....

135 *Semaine n° 726. Du 24 au 30 janvier 1988*

Des mois qu'il tousse comme une caverne. Le matin il n'arrivait plus à garder son petit déjeuner. Ça partait dans le lavabo, avec le dentifrice. Bonjour le réveil ! Un sale truc en dessous de la gorge, à l'œsophage. L'ambulance est venue le
140 prendre, avec tous les voisins dans l'escalier. Je leur ai claqué la porte au nez quand ils ont voulu me plaindre… Je m'en fous de leurs malades ; ils n'ont qu'à faire pareil.

....

....

Semaine n° 727. Du 31 janvier au 6 février 1988

Tu parles qu'il ne voulait jamais me laisser seul à la maison !
145 Ça arrive à tous les mômes de jouer avec l'éther et les allumettes. D'abord j'avais onze ans et le liquide enflammé s'est mis à courir sur le carrelage tout seul… J'ai jeté de l'eau mais trop tard, il était passé sous la porte. À peine si ça a brûlé le lino de l'entrée… Depuis il me prend pour un incendiaire[6] !
150 Prétexte ! J'étais à la recherche des lettres que j'envoyais à maman, de colonie, quand je suis tombé, dans le placard de leur chambre, sur une grosse boîte de chez André. Des bottes, mais à la place, entouré de chiffons, il y avait un sèche-cheveux, le même que celui qui a tué maman avec le ventila-
155 teur sous le plastique ajouré au-dessus de la poignée, sauf qu'il était en rose au lieu de bleu. Je l'ai dévissé. Il était tout rouillé à l'intérieur comme si on l'avait trempé dans l'eau.

Semaine n° 728. Du 7 au 13 février 1988

Pendant trois nuits je n'ai pensé qu'à ce sèche-cheveux, à la
160 manière dont il s'y était pris. Tout est venu d'un seul coup, quand j'ai repensé aux poissons rouges ! J'ai relu mon journal

6. Incendiaire : personne qui allume volontairement un incendie.

de mars 1975 et je me suis aperçu qu'ils avaient disparu quelques jours seulement avant que maman s'électrocute dans son bain.

65 Je le vois comme si ça se passait devant mes yeux, en train de remplir la baignoire, d'y verser l'eau et les poissons de l'aquarium et de jeter le sèche-cheveux allumé pour vérifier si le courant les tuait...

....

....

Semaine n° 729. Du 14 au 20 février 1988

70 Il a essayé de sourire en me voyant entrer dans sa chambre. Son doigt se pliait, pour que j'approche. L'opération lui avait laissé un trou dans la gorge avec un gros pansement qui vibrait au rythme de sa respiration. Il a ouvert de grands yeux quand j'ai appuyé sur la gaze[7] avec mon poing. Ça n'a pas duré une
75 minute. J'ai sonné pour appeler l'infirmière.

....

....

J'en étais là, avec la dernière page du cahier de couturière en blanc, quand la porte de la cellule s'est ouverte. Le flic à qui j'avais tout expliqué au commissariat est entré, le frère de mon beau-père sur les talons. Il tenait le sèche-cheveux à
80 la main. Il l'a posé sur la couverture.

– Tu te souviens de la date... pour ta mère ?

Le frère me regardait comme au zoo.

– 21 mars 1975, le jour du printemps, pourquoi ?

Il a désigné le sèche-cheveux, d'un mouvement du menton.

85 – Parce que ton histoire ne tient pas debout : j'ai envoyé l'appareil chez Moulinex, pour expertise. Ils sont formels,

7. Gaze : tissu léger servant aux pansements.

ce modèle a été fabriqué à partir de septembre 1975, soit six mois après la mort de ta mère…

Le frère a voulu apporter son grain de sel :

190 – Pourquoi tu ne dis jamais rien ? Si tu me l'avais demandé je t'aurais expliqué que Jean et ta mère s'aimaient comme peu de gens osent se l'imaginer… Il ne s'en est jamais vraiment remis… Je savais qu'il avait essayé de faire une connerie, à cette époque…

195 Je me suis mis à ricaner. Lui, l'aimer ? C'est la meilleure ! Il n'y en a qu'un qui l'aime. Je criais.

– Menteurs ! Menteurs ! Vous inventez au fur et à mesure…

Le flic est venu à son secours.

– C'est malheureusement la vérité… Ton père a tenté de se

200 suicider de la manière dont ta mère était morte, en s'électrocutant… Tu l'as tué pour rien…

Ils sont enfin partis, ils n'en pouvaient plus de m'entendre chanter… J'ai pris mon calepin à la dernière page, avant le calendrier de l'année 1974 et j'ai écrit mon titre :

205 *Semaine n° 730. Du 21 au 27 février 1988*

et je n'ai trouvé qu'une phrase à inscrire :

« Ils disent ça pour que je regrette. »

Didier Daeninckx, « Les poissons rouges »,
in *Main courante*, Éd. Verdier, 1994.

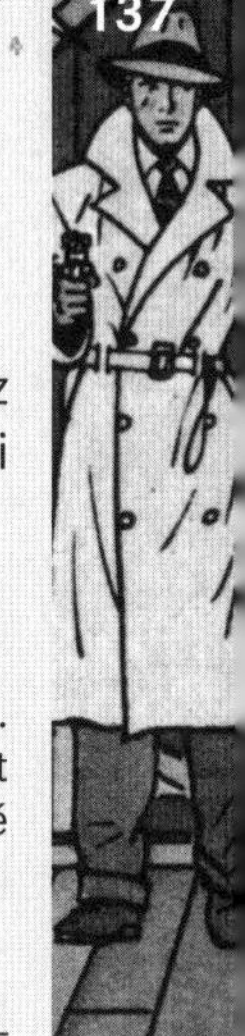

Repérer et analyser

Première lecture

1 Après avoir lu cette nouvelle, notez vos impressions et résumez l'histoire en cinq lignes. En classe, confrontez votre résumé avec celui de vos camarades et justifiez-le à l'aide d'observations précises.

La mise en espace et la situation d'énonciation

On appelle situation d'énonciation la situation dans laquelle un énoncé est produit. Identifier la situation d'énonciation, c'est dire qui a produit l'énoncé, à qui il est destiné, dans quel lieu, à quel moment et dans quelles circonstances cet énoncé a été produit.

2 Quelle remarque faites-vous sur la mise en page ?
3 Identifiez la situation d'énonciation. Quel est le temps de référence ? Sous quelle forme l'histoire se présente-t-elle, notamment à partir de la ligne 41 ?
4 Selon quel point de vue les faits sont-ils rapportés ?
5 Quel est le niveau de langage utilisé ? Quel est l'effet produit ?

L'ordre de la narration

Le retour en arrière

6 Délimitez le passage qui présente un retour en arrière.
7 **a.** Combien de temps s'écoule-t-il entre les semaines 1 et 730 ?
b. Selon quel principe le narrateur remplit-il son cahier ?
c. Remplissez un tableau en indiquant les événements qui correspondent aux semaines 1, 47, 48, 553, 726 et 729.

Les ellipses (voir la leçon, p. 123)

8 Repérez les ellipses. À quoi correspondent-elles, selon vous ?

La relation entre les personnages

9 **a.** Qui sont les personnages principaux ? Relevez les informations les concernant : nom, caractéristiques physiques et morales…
b. À quel milieu social appartiennent-ils ? Dans quelle ville vivent-ils ?
10 Analysez précisément les relations qu'entretiennent le fils et la mère, le fils et le beau-père, la mère et le beau-père.

Un genre : le néo-polar

À partir des années soixante-dix, de jeunes auteurs se rassemblent autour de Jean-Pierre Manchette, sous l'appellation « néo-polar ». Ils revendiquent l'esprit du roman noir américain (voir l'introduction) et contestent avec violence la société française contemporaine. Issu des événements de 68, le néo-polar dénonce notamment l'exclusion, le racisme, les scandales politiques et financiers qui pourrissent la société. Le néo-polar adopte souvent le point de vue des marginaux et des déclassés.

11 **a.** Y a-t-il un crime ? Quand a-t-il été commis ?
b. Le récit comporte-t-il une enquête ?
12 **a.** Qui est la victime ?
b. Qui est le coupable ? Quel est son mobile ?
13 **a.** Quelle information le passage « Parce que ton histoire ne tient pas debout… Tu l'as tué pour rien » (l. 185 à 201) contient-il ?
b. En quoi cette information réoriente-t-elle l'interprétation de la nouvelle ?
14 Quel intérêt le point de vue adopté présente-t-il ? En quoi peut-il tromper le lecteur ?

La visée

15 **a.** Cette nouvelle repose-t-elle sur la présence du suspense ?
b. Quelle en est selon vous la visée ? Pour répondre, dites ce qui est réellement mis en accusation dans cette nouvelle ? Appuyez-vous sur les réponses aux questions 9 et 10.
16 Justifiez le titre de la nouvelle.

Étudier la langue

17 Cherchez l'origine et le sens des mots parricide et matricide. Donnez des mots appartenant à la même famille.

Se documenter

Deux genres proches : le fait divers et le roman policier
18 Qu'est-ce qu'un fait divers ? En quoi peut-il présenter des points communs avec le récit policier ?

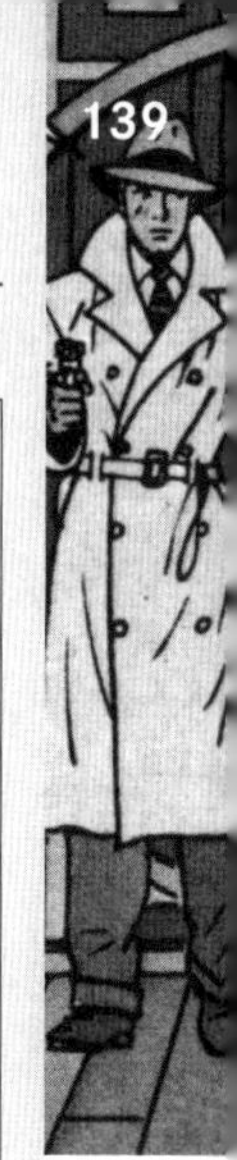

19 **a.** Lisez le fait divers ci-dessous (vous pouvez également en chercher dans les quotidiens nationaux et régionaux).

Un patient égorgé à l'hôpital : un septuagénaire discret, Saint-Malo (35).

L'enquête sur le décès de l'homme retrouvé mort vendredi, vers 16 heures, dans sa chambre d'hôpital à Saint-Malo se poursuit, menée par les hommes du SRPJ de Rennes. La victime, M. Robert Heulot, 78 ans, était hospitalisée depuis environ un mois à Saint-Malo, où elle avait déjà eu l'occasion de faire plusieurs séjours auparavant.

Après avoir vécu à Vivier-sur-Mer (35), veuf, il était pensionnaire du foyer-logement Belle Lande à Dol-de-Bretagne (35) depuis une dizaine d'années. M. Heulot, qui avait une mobilité réduite, y occupait seul un pavillon au sein de l'établissement, qui en compte cinquante, ainsi que trente appartements. Vivant avec juste assez d'argent pour sa retraite, on lui connaissait peu de famille. Il n'aurait d'ailleurs reçu, au cours de ses années passées au foyer-logement, que de très rares visites. Sur place, il était considéré par tous comme un homme calme et sans problème. *« Nous sommes tous surpris. On se demande vraiment ce qui a pu se passer. Nous n'avons jamais eu de problème avec lui »*.

Les enquêteurs, qui étaient toujours sur place dimanche soir, à Saint-Malo, se refusaient à tout commentaire.

Le Télégramme de Brest, 2 mars 1998. ■

b. À l'aide du tableau ci-dessous, comparez ce qui distingue une nouvelle policière d'un fait divers.

	Fait divers	**Nouvelle**
- Longueur du texte, typographie, mise en page		
- Formulation du titre		
- Première phrase		
- Ordre de la narration/ de la fiction		
- Présence de descriptions		
- Présence de dialogues		
- Personnes réelles/ personnages de fiction		
- Temps verbaux		
- « Je » possible/impossible		
- Fin attendue/présence d'une chute		

Écrire

20 Imaginez que l'histoire racontée dans la nouvelle *Les poissons rouges* fasse l'objet d'un fait divers dans un journal. Rédigez-en l'article et donnez à votre texte les caractéristiques du texte de presse : titre, éventuellement typographie (voir tableau page précédente).

21 **a.** Lisez ces quelques Nouvelles en trois lignes de Félix Fénéon.

Sur la base de faits divers réels, notés avec une précision et une cruauté confondante, Félix Fénéon écrivit ces *Nouvelles en trois lignes* qui constituèrent une rubrique très célèbre dans le journal *Le Matin*, en 1906.

• D'avoir bu une fiole de vitriol, Marcel Portamène, de Saint-Maur, meurt à trois ans ; ses parents se promenaient dans le jardin.
• Appelé la nuit, M. Sirvent, cafetier à Caissargues (Gard), ouvrit sa fenêtre ; un coup de fusil le défigura.
• Inculpée d'avoir laissé mourir d'inanition sa jeune bâtarde, Mme Inizan, vachère à Guiclan (Finistère), a été arrêtée.
• On vole des enfants à Rouen ! Tandis que quelqu'un maintenait Mme Thomas, sa mère et sa sœur lui enlevaient sa fille.
• Cinq inconnus ont roué de coups de bâton quatre Manceaux en train de pêcher. L'un de ceux-ci, M.-A. Poiron, est gravement blessé.
• R. Pleynet, d'Annonay, 14 ans, a mordu son père et un de ses camarades. Il y a deux mois, un chien enragé lui léchait la main.

Félix Fénéon, *Nouvelles en trois lignes*, Éd. Gallimard, 1948.

b. Choisissez-en une et écrivez un récit dans l'esprit du néo-polar.

Débattre

22 Mettez en scène et jouez le procès du jeune Albert. Préparez en groupes la plaidoirie et le réquisitoire et désignez deux de vos camarades pour assumer le rôle de la défense et de l'accusation…

23 La violence à travers des actes graves se manifeste de plus en plus souvent. Constituez un dossier de presse sur des affaires récentes. Comment définiriez-vous la notion de responsabilité ? Pensez-vous que la société porte une part de responsabilité dans cette violence ? Pour quelles raisons ? Quelles solutions proposeriez-vous ?

L'étude d'un genre : le récit policier

Le début et la fin d'un récit policier

1 **a.** Le titre comporte-t-il des éléments précis permettant de construire des hypothèses de lecture ?
b. En quoi se rattache-t-il au genre policier (logo, champ lexical) ?

2 **a.** Quel est le statut du narrateur ? S'il s'agit d'un narrateur à la première personne : est-ce un narrateur témoin ou un narrateur personnage ? Quel rôle joue-t-il dans l'histoire ?
b. Selon quel point de vue l'histoire est-elle racontée ? Quel est l'effet produit ?

3 Analysez le début du récit policier : l'action est-elle immédiatement engagée ou le début présente-t-il les lieux, les personnages... ?

4 **a.** Le récit s'achève-t-il sur une explication finale ? Qui la donne ?
b. S'il n'y a pas d'élucidation finale, sur quel autre type de dénouement le récit se termine-t-il ?

Le cadre et les personnages

5 Définissez le cadre : est-il réaliste ? La ville est-elle le décor privilégié de l'histoire ?

6 Le récit présente-t-il « le carré de rôles » traditionnel (l'enquêteur, le coupable, l'assassin, la victime, le suspect) ?

7 **a.** L'enquêteur est-il un adulte ou un enfant ? Un professionnel ou un amateur ?
b. Quels sont ses rapports avec la police ? Quelles sont ses habitudes, ses manies ?
c. En quoi sa méthode d'investigation consiste-t-elle (intuition, observation, analyse, action) ?
d. Est-il le personnage dominant ?

8 Le coupable est-il connu dès le début ? Est-il connu par les autres personnages ? Quel est son mobile ?

9 La victime est-elle morte dès le début ou au contraire est-elle le personnage principal de l'histoire ?

10 Y a-t-il un suspect ? Est-il le coupable ? Ou alors, comment est-il innocenté ?

La structure du récit

11 Le récit comporte-t-il une énigme ? Quel est le méfait initial ?
12 Le récit correspond-il à une enquête qui reconstitue les circonstances du méfait ou suit-il au contraire le fil de l'action criminelle en train de se réaliser ?
13 Dans le cas du récit à énigme, retrouve-t-on les étapes caractéristiques suivantes : révélation d'un méfait initial (énigme à résoudre), enquête (examen des faits, élaboration d'hypothèse), vérification de l'hypothèse, élucidation de l'énigme ?
14 Le récit comporte-t-il de fausses pistes ? Lesquelles ?

Le suspense

15 Le suspense consiste-t-il en un retardement de l'action ou correspond-il à une menace qui pèse sur le héros ?
16 **a.** Dans quels lieux le méfait se produit-il ?
b. Le méfait s'est-il produit en lieu clos ? Si oui, lequel ?
c. En quoi les lieux contribuent-ils à créer une atmosphère d'angoisse ?
17 Quelle est la durée de l'action ? Y a-t-il des effets de ralentissement (étudier le rapport entre le nombre de pages et la durée de l'action) ? À quels moments ?

La visée

18 **a.** Quel est le rôle du crime ? La vérité et la justice triomphent-elles ? Par quel(s) moyen(s) ?
b. À quelle représentation du monde le récit policier correspond-il ? Quelles valeurs les personnages principaux incarnent-ils ? Quels sont les problèmes sociaux éventuellement mis en cause ?

Index des rubriques

Table des illustrations

Iconographie : Hatier Illustration, avec la participation d'Édith Garraud

Principe de maquette : Mecano-Laurent Batard

Mise en page : Alinéa

Impression : Imprimé en France par CPI-Hérissey à Évreux (Eure) CPI

Dépôt légal : 74342-9/09 - Novembre 2009 - N° d'imprimeur : 112761